НОРА РОБЕРТС

КОРОЛЕВСКИЙ РОМАН

Роман

Москва
ЦЕНТРПОЛИГРАФ

ТН

УДК 821.111(73)-31
ББК 84(7Сое)
Р58

Робертс Нора

Р58   Королевский роман: роман / Пер. с англ.
Л.А. Игоревского. — М.: ЗАО Издательство
Центрполиграф, 2013. — 251 с.

ISBN 978-5-227-04675-8

Габриела — настоящая, а не сказочная принцесса. Ее отец — монарх небольшого прекрасного княжества Кордина, в котором кипят
нешуточные страсти и зреют гнусные интриги. Жертвой их и становится Габриела. Чудом спасшаяся от похитителей, она теряет память,
и, чтобы оградить дочь от повторного нападения, князь Арманд при-
глашает во дворец в качестве телохранителя близкого друга семьи
Рива Макги. Верный чувству долга, Рив соглашается на эту роль, не
ведая, что уготовила ему судьба...

**УДК 821.111(73)-31
ББК 84(7Сое)**

Affaire Royale
Copyright © 1986 by Nora Roberts
«Королевский роман»
© ЗАО «Издательство
Центрполиграф», 2013
© Перевод и издание на русском
языке, ЗАО «Издательство
Центрполиграф», 2013
© Художественное оформление,
ЗАО «Издательство
Центрполиграф», 2013

ISBN 978-5-227-04675-8

НОРА
РОБЕРТС

NORA ROBERTS

AFFAIRE ROYALE

A Novel

КОРОЛЕВСКИЙ РОМАН

Роман

*Посвящается Марианне Уилман,
потому что она любит и понимает сказки.*

Пролог

Она не знала, почему бежит. Одно было абсолютно ясно — останавливаться нельзя. Если перестанет бежать — пропала. В этой безумной гонке были только начало и конец.

Надо успеть убежать как можно дальше. Инстинкт гнал ее прочь, дальше от преследователей, чтобы расстояние между ними росло — расстояние между ней и... *тем* местом, откуда она начала бег.

Она промокла до нитки, потому что дождь лил не переставая, но больше не вздрагивала ни от ударов грома, ни от ослепительных вспышек молний. Она больше не боялась темноты и грозы. Но тем не менее страх липкой лапой сжимал сердце и гнал ее дальше, хотя все клеточки усталого тела просили пощады, умоляли свернуть с дороги, найти теплое сухое место и затаиться там.

Она не знала, где находится, не знала, откуда бежит. Не помнила этих мест, где росли высокие прямые деревья, стволы которых с одной стороны были оголены ветром. Шум грохочущего поблизости моря тоже не вызывал в памяти ничего, как и запах мокрых травы и цветов, которые ломались под ее ногами.

7

Она плакала, хотя не отдавала себе в этом отчета. Рыдания сотрясали тело, страх рос в ней, она ничего не чувствовала, кроме страха. Голова была как в тумане, ноги подкашивались от слабости. Как просто перестать бежать, свернуться клубочком под огромным деревом и перестать бороться. Но что-то толкало ее вперед. Не только страх, не только смятение. Это была внутренняя сила, которую никто не мог бы предположить при взгляде на нее, которую она и сама в себе не предполагала. Именно эта сила питала ее, заставляла прилагать нечеловеческие усилия, чтобы продолжать бег. Она не вернется *туда*, и поэтому надо бежать.

Она не знала, сколько времени бежит, какое расстояние пробежала — одну милю? Десять? Дождь и слезы застилали глаза, поэтому она не заметила приближения автомобиля. Ее ослепил резкий свет фар. Она застыла, как зверек, парализованный ужасом, пойманный в перекрестье ярких лучей. Они нашли ее. Догнали. Пронзительный сигнал, визг тормозов. Как будто надломившись, она рухнула на мокрую землю и лишилась чувств.

Глава 1

— Она приходит в себя.

— Слава богу.

— Сэр, прошу вас, отойдите и дайте мне осмотреть ее. Она может снова потерять сознание.

Сквозь зыбкий туман она слышала голоса. Приглушенные, как будто издалека. Несмотря на полуобморочное состояние, она с новой силой ощутила страх, у нее перехватило дыхание. Ей не удалось убежать. Но нельзя показывать отчаяния. Она пообещала себе это. Выныривая окончательно из пелены забытья, она сжала кулаки, что придало ей некоторую уверенность, и, наконец, медленно открыла глаза. Зрение сфокусировалось, и она отчетливо увидела склонившееся над ней лицо.

Лицо было незнакомым, но оно не принадлежало ни одному *из тех*. Она бы узнала. Должна была узнать. Она лежала неподвижно, стараясь успокоиться, и всматривалась в полное доброе лицо с курчавой белой аккуратной бородкой, которая контрастировала с совершенно лысой блестящей головой. Глаза проницательные, но усталые и добрые. Когда он взял ее руку, она не оказала сопротивления.

— Моя дорогая, — сказал человек низким приятным чарующим голосом, в то время как его рука гладила ее сжатый кулак до тех пор, пока пальцы не разжались, — вы в полной безопасности.

Он пощупал ее пульс, продолжая пристально смотреть в глаза.

В безопасности. Она осторожно огляделась. Комната была просторной, выглядела элегантной, но она догадалась, что это больничная палата. Сильно пахло цветами и антисептиком.

Немного в стороне стоял другой мужчина.

Скорее всего, отставной военный, о чем свидетельствовала прямая спина. Он был безукоризненно одет. Волосы, чуть подернутые сединой, были все еще темные и густые. Красивое лицо — удлиненное, аристократическое, с суровым застывшим выражением, очень бледное. Бледность подчеркивали темные круги под глазами. Казалось, мужчина не спал много ночей.

— Дорогая, — произнес он, и голос его дрогнул. Он подошел и взял ее за руку, поднес к губам. Ей показалось, что он сейчас заплачет. Твердая мужская рука слабо дрожала. — Ты вернулась к нам, любовь моя. Ты вернулась.

Она не отняла безвольной руки из сострадания, только тихо спросила:

— Кто вы?

Мужчина вздрогнул и посмотрел ей в глаза:

— Как...

— Вы очень слабы, — оборвал его доктор, отвлекая ее внимание. Она видела, как он коснулся рукава мужчины, словно успокаивая. — И не мудрено, ведь вам пришлось пройти через такое, что ваше замешательство вполне естественно.

Она почувствовала, как в ней поднимается мутная волна дурноты. Лежа на спине, она видела, как доктор сделал знак мужчине, державшему ее руку. Ее тело было теперь сухим и теплым, но она ощущала странную пустоту внутри его. Она чувствовала, что очень устала, и больше ничего. Но ее голос оказался неожиданно тверд, когда она заговорила, приковав к себе внимание.

— Я не знаю, где я, — под пальцами доктора пульс скакнул, потом вновь забился ровно, — и я не знаю, кто я.

— Вам пришлось пройти через много испытаний, дорогая. — Доктор старался говорить мягко и убедительно, чтобы не показать своей растерянности. Он лихорадочно размышлял. Нужен специалист. Если память не вернется в течение двадцати четырех часов, нужен специалист. Причем самый лучший.

— Ты ничего не помнишь? — спросил мужчина с подернутыми сединой темными волосами и измученными бессонницей глазами.

Смущенная и растерянная, она делала усилие, чтобы побороть усилившийся страх. И даже попыталась сесть, но доктор мягко и ласково не позволил ей это сделать. И тут она вспомнила: темнота, гроза, она бежит. Внезапный свет фар, парализовавший волю. Она закрыла глаза, пытаясь прогнать страх и обрести спокойствие, не понимая, почему это так важно для нее.

— Я не знаю, кто я. Скажите мне.

Ее голос звучал глухо и безжизненно.

— Когда вы немного отдохнете... — начал было доктор, но мужчина остановил его взглядом. Это был взгляд человека, привыкшего повелевать, — властный и надменный.

— Ты моя дочь, — сказал мужчина и крепко сжал ее руку. Его рука больше не дрожала. — Ее высочество принцесса Кордины.

Глаза ее были полны удивления. Она очутилась в сказке? Он ее отец? Высочество? Принцесса Кордины? Кордина... Название показалось знакомым, хотя слова этого человека о том, что она принцесса, прозвучали слишком неправдоподобно. Но, заглянув в его глаза, она поняла, что он не лжет. Несмотря на внешнее спокойствие и сдержанность, в его взгляде она увидела такую бурю эмоций, что поверила всему.

— Если я принцесса, — сказала она и увидела, как по лицу мужчины пробежала судорога, как от боли, — значит, вы король?

Легкая улыбка осветила его лицо — хотя несчастья и лишили дочь памяти, она была все той же, его Бри.

— Кордина — княжество. Я — князь Арманд. Ты — мой первый ребенок. У тебя есть два брата — Александр и Беннет.

Значит, у нее есть отец и двое братьев. То есть семья и семейные корни!

— А моя мать? — спросила она и ясно прочитала выражение боли на его лице.

— Она умерла, когда тебе было двадцать. С той поры ты стала хозяйкой в моем доме вместо нее, Бри. — Голос потеплел. — Мы зовем тебя Бри. — Мужчина повернул ее руку ладонью вниз, сверкнули сапфиры и бриллианты. — Я подарил тебе это на твой двадцать первый день рождения, почти четыре года назад.

Она взглянула на кольцо, потом на твердое властное лицо, на красивую большую руку, но не вспомнила ничего. Хотя и чувствовала, что он говорит правду.

— У вас отменный вкус, ваша светлость. — Она улыбнулась. Он тоже улыбнулся, но ей показалось, что с трудом сдерживая слезы. Чувствуя, что сейчас сама расплачется, она умоляюще прошептала:

— Я должна отдохнуть, я очень устала.

— Ну разумеется. — Доктор потрепал ее по руке привычным жестом. — Сейчас сон лучшее лекарство.

Князь Арманд неохотно отпустил руку дочери.

— Я буду поблизости.

Ее силы были на исходе.

— Благодарю. — Услышав, как за ним закрылась дверь, она спросила доктора: — Я действительно та, про которую он говорил?

— Уж лучше меня никто не знает, — доктор ласково коснулся ее лба, одновременно проверяя, нет ли жара, — потому что я вас принимал двадцать пять лет назад. А теперь отдыхайте, ваше высочество. Отдыхайте и постарайтесь уснуть.

Князь Арманд нетерпеливо шагал по коридору, сопровождаемый на два шага позади королевским гвардейцем. Ему так хотелось побыть одному. Хотя бы пять минут. Закрыться в комнате и постараться успокоиться. Волнение душило его, эмоции захлестывали, лишая выдержки. Его дочь, его сокровище... Он чуть не потерял ее навсегда. И вот когда вновь обрел, она смотрит на него, как на чужого. Она не узнает родного отца. Когда он найдет того, кто похитил ее... Он поборол ярость. Позже. Он уже дал себе обещание.

В просторном светлом холле находились еще три гвардейца и несколько полицейских чинов. Там же нервно расхаживал взад-вперед, куря сигарету, его сын и наследник принц Александр. У него были такие же темные, как у отца, волосы, резкие черты лица и такая же осанка. Но он пока еще не научился, как отец, контролировать свои чувства.

Вот и сейчас принц готов был взорваться в любой момент. Глядя на своего двадцатитрехлетнего наследника, князь Арманд подумал, что темперамент сына напоминает кипящую внутри вулкана огненную лаву, которая ищет выхода, чтобы вырваться на поверхность.

На диване с розовой обивкой небрежно раскинулся второй сын, Беннет. В свои двадцать лет он уже обещал превратиться в плейбоя. Тоже темноволосый, Беннет обладал потрясающей красотой своей матери. Он был способен на опрометчивые поступки и часто бывал слишком неблагоразумен, но он обладал добрым сердцем и приветливостью, что делало его любимцем прессы, равно как и женской части населения Европы.

Рядом с Беннетом сидел американец, которого пригласил князь Арманд. Братья не сразу заметили появление отца, погрузившись в свои мысли. Но американец ничего и никогда не упускал из вида. Поэтому его и пригласил ко двору правитель Кордины. Рив Макги, заметив Арманда, первые секунды просто наблюдал за ним. Спокойствие и выдержка, никаких эмоций. Арманд нуждался именно в этом. Они встречались всего несколько раз. Отец Рива учился вместе с князем в Оксфорде, и их дружба, возникшая в студенчестве, протянулась на всю жизнь, несмотря на расстояния и годы.

Потом Арманд стал правителем маленькой очаровательной страны, приютившейся на побережье Средиземного моря, а отец Рива посвятил себя дипломатической службе. Рив вырос среди дипломатов, протокола и политики, но сам не пошел по стопам отца. Он предпочел карьеру полицейского, а потом работал в секретных службах.

Прошло десять лет, ион решил заняться частным детективным бизнесом, открыть свое дело. Он устал выполнять чужие приказы, все время быть под контролем начальства, захотелось жить по своим правилам. Работа частного детектива была не так интересна, но его устраивала. Ему помогал опыт, приобретенный в полиции, в отделе расследования убийств, а также навыки секретного агента. Эта работа научила Рива прежде всего доверять своей интуиции.

Он был рожден в богатой семье. И приумножил ее состояние своим трудом. Вначале он смотрел на свою службу как на средство, приносившее прибыль и добавлявшее необходимый адреналин, чтобы ощутить вкус жизни. Сейчас его больше не интересовали деньги. Он редко брал расследование, и только после тщательного анализа. Если дело действительно вызвало его интерес, он назначал свою цену. Для непосвященных он был новоявленным фермером. Всего год назад Рив купил ферму и мечтал заниматься там хозяйством, возможно, осесть там навсегда. Десять лет риска и опасностей, тайн и убийств с лихвой хватило бы не на одну жизнь.

Убедив себя, что долг выполнен, он ушел из государственных служб. Как частный детектив, он мог расследовать преступления для собственного интереса, когда клиенты и дела его устраивали.

Если расследование было связано с опасностью, он, как никто другой, мог справиться с ним. Впрочем, последний год Рив почти не работал. Он постепенно выходил из игры, и если испытывал иногда сомнения в своей правоте, о них никто не знал.

Ферма давала возможности начать другую жизнь, открывала новые горизонты. Он уже увлекся хозяйством, но неожиданно пришлось отложить свой первый сев, чтобы откликнуться на призыв князя Арманда.

Внешне, конечно, Рив не выглядел фермером, скорее военным в гражданской одежде. Он поднялся с дивана легко и пружинисто, его тело работало как совершенный, хорошо отлаженный механизм. На нем был модный полотняный пиджак с простой футболкой, легкие темные брюки. Такая одежда позволяла выглядеть по-светски и в то же время небрежно. Рив принадлежал к тому типу мужчин, одежда которых, даже самая модная, не привлекала внимания, потому что впечатляла внешность — лицо с энергичными чертами, унаследованными от шотландско-ирландских предков, и высокая стройная фигура. У него была белая кожа, как будто он мало времени проводил на свежем воздухе, предпочитая работать в кабинете; черные, аккуратно подстриженные волосы, хотя непослушная прядка время от времени падала на лоб. Рот крупный, решительный. Сложен Рив был великолепно. Но самым примечательным в нем были глаза — темно-голубые, или синие, в зависимости от освещения, они могли быть пронзительно-жестокими, чтобы напугать и сломить, а могли очаровать и внушить доверие. Он знал силу своего взгляда и умел пользоваться им в своих целях. Сейчас взгляд был спокойным и внимательным, что говорило о готовности к действию.

— Ваша светлость, — обратился Рив к князю.

Братья при этих словах повернулись и тоже заметили отца.

— Бри? — одновременно прозвучал их вопрос.

Беннет вскочил с дивана и подбежал к отцу, а Александр застыл на месте, только погасил сигарету в пепельнице с такой силой, что она переломилась. Это не укрылось от внимательно наблюдавшего за происходящим Рива.

— Она пришла в себя, — коротко сказал князь, — я смог с ней поговорить.

— Как она себя чувствует? — Беннет не сводил с отца глаз. — Когда можно ее увидеть?

— Она очень слаба. — Князь легонько дотронулся до локтя сына. — Возможно, завтра.

Продолжая стоять у окна, Александр спросил:

— Она знает, кто...

— Обо всем потом, — оборвал его отец.

Воспитанный в жестких правилах этикета, Александр не посмел настаивать. Он принял эти правила вместе с титулом.

— Надо скорее отвезти ее домой. — Тон наследника был спокоен, но в нем чувствовался вызов отцу. Александр бросил взгляд на полицейских и гвардейцев. Хотя Габриелу здесь охраняли, ей лучше быть дома.

— Мы так и сделаем, как только будет возможно.

— Я понимаю, что она сейчас устала, — вступил в разговор Беннет. — Но ведь ей захочется увидеть родные лица. Мы с Алексом подождем.

Родные лица. Арманд посмотрел на старшего сына. Для Бри сейчас не существует таковых. Он объяснит им, но попозже. И без посторонних.

— Завтра у нее будет больше сил. А пока вы можете идти. Я хочу поговорить с Ривом.

Сыновья замешкались, и Арманд подтвердил свое желание властным жестом.

— Она испытывает боль? — спросил Александр.

Взгляд Арманда смягчился.

— Нет. Обещаю вам, завтра вы все увидите сами. Она сильная. — В последних словах прозвучала гордость.

Александр кивнул, соглашаясь с отцом. Все остальное он скажет ему наедине. Братья вышли из комнаты в сопровождении охраны. Арманд подождал, пока они уйдут. Потом повернулся Риву:

— Прошу. Пройдем в кабинет доктора Франко.

Он вышел в коридор. Гвардейцы за ним, полные бдительной настороженности. Похищение члена монаршей семьи — чрезвычайное происшествие. Арманд прошел в кабинет, впустил только Рива и закрыл дверь.

— Садись. Я лучше постою. — Он полез в карман за коричневой сигаретой, одной из десяти, отложенных на день. Рив зажег ее для него и ждал. — Я благодарен, что ты приехал, Рив. Просто не было времени сказать, как я ценю это.

— Не о чем меня благодарить, ваша светлость. Я еще ничего не сделал.

Арманд затянулся и выпустил дым, немного успокаиваясь, позволяя себе слегка расслабиться в присутствии сына своего друга.

— Думаешь, что я слишком строг с сыновьями?

— Вы лучше знаете своих сыновей.

Арманд улыбнулся:

— Ты унаследовал дипломатический стиль своего отца.

— Наверное.

— И насколько могу видеть, его ясный и трезвый ум.

«Интересно, как оценил бы такое сравнение отец», — подумал Рив.

— Слушаю, ваша светлость.

— Прошу, наедине зови меня просто Арманд. — Князь устало потер лоб. — Полагаюсь на тебя. Ты знаешь, как я отношусь к твоему отцу и к тебе. Я поступаю так из любви к дочери и уповаю на нашу дружбу, потому что у меня нет другого выбора. В сложившейся ситуации я могу доверять только тебе, Рив.

Рив внимательно взглянул на сидевшего перед ним человека. Впервые он увидел в нем не только монарха, наделенного властью, но и просто отца, который отчаянно, с трудом сдерживал свои чувства. Рив тоже достал сигарету, зажег, тем самым давая Арманду несколько лишних мгновений, чтобы обрести контроль над собой. Потом попросил:

— Расскажите мне.

— Она ничего не помнит.

— Она не помнит, кто ее похитил? — Легкая складка прорезала лоб Рива, он в раздумье уставился на свои ботинки. — Но она их видела?

— Она не помнит. Ничего, — повторил Арманд и печально взглянул на своего молодого друга, — даже собственного имени.

Рив кивнул:

— Временная амнезия — естественная вещь, после того что ей пришлось пережить. Что говорит доктор?

— Я скоро узнаю его мнение. — Напряжение и бессонные ночи давали о себе знать, на князя накатила усталость, хотя он старался не показать слабости. — Ты приехал, Рив, потому что я просил тебя, не спрашивая причины.

— Это так.

— Как гражданин Америки, ты не подчиняешься мне. И не обязан подчиняться.

Рив выпустил тонкую струйку дыма, запах табака, выращенного в Виргинии, смешался с крепким запахом французских сигарет Арманда.

На губах князя появилась многозначительная улыбка. Копия отца, подумал он. И так же как отцу, Риву Макги можно доверять. Он должен ему доверить самое дорогое на свете.

— В моем положении всегда существует возможность нападения, это сопутствующие власти элементы риска, опасность.

— Конечно. Как у любого лидера.

— Вот именно. И мои дети, как дети монарха, тоже подвергаются риску.

Арманд посмотрел на свои руки, на кольцо с фамильной печаткой. Он был рожден принцем. А сейчас был властителем страны. Но одновременно и отцом. Еще ни разу жизнь не ставила перед ним выбора — что для него главное. Он был рожден, воспитан и образован для того, чтобы соответствовать своему положению. Основой его жизни был долг перед своим народом.

— Естественно, что мои дети имеют собственную охрану, — продолжал он, с силой раздавив недокуренную сигарету в пепельнице. — Этого оказалось недостаточно. Габриелу, Бри, всегда раздражала охрана. Она упрямо отстаивала право на свободу и личную жизнь. Наверное я ее избаловал. У нас спокойная, мирная страна. Граждане любят свою правящую семью, и поэтому, когда моя дочь время от времени ускользала от охраны, я смотрел на это сквозь пальцы.

— Похищение произошло именно в такой момент?

— Ей захотелось прокатиться в машине за город. Она время от времени так делала. Бри после смерти матери была хозяйкой дворца, и многочисленные обязанности и соблюдение этикета ее настолько утомляли, что требовалась разрядка. Все произошло шесть дней назад.

Рив имел свое мнение о том, как устроена жизнь при дворе. Арманд руководил страной твердой рукой, но он был отцом, который оказался не готов к непредвиденной ситуации.

— Еще шесть дней назад прогулки вашей дочери считались допустимыми? — спросил Рив.

Арманд сдержанно кивнул. Эмоции сейчас не нужны, только трезвая голова поможет делу.

— Теперь все изменилось, — сказал он, — и, пока мы не найдем того, кто сделал это, я могу доверить моим гвардейцам только свою жизнь. Но не жизнь дочери.

Рив задумчиво стряхнул пепел с сигареты. Намек прозвучал ясно и недвусмысленно.

— Я больше не на службе, Арманд. И вашей дочери не нужен полицейский. Да и вы не захотите этого.

— Ты занимаешься частным сыском. У тебя огромный опыт, в том числе и по террористам всякого рода.

— У себя в стране — да, — согласился Рив, — но у меня нет никаких полномочий и прав в Кордине. — И добавил: — Но у меня много связей по всему миру. И я могу рекомендовать для нее телохранителя, если вы такового ищете.

— Я ищу человека, которому смогу доверить жизнь дочери, — прервал его князь властным тоном. — И он должен быть хладнокровен и беспристрастен, каким сам я не могу быть, а также обладать опытом в расследованиях, чтобы провести дело точно и до конца. Я следил за твоей карьерой. — Он быстрой улыбкой ответил на вопросительный взгляд Рива, — у меня есть связи в Вашингтоне. Твое досье безупречно, твой отец может гордиться сыном.

Рив почувствовал себя неловко при упоминании отца. Эта дружба между отцом и Армандом связывала его и делала затруднительным отказ.

— Я ценю ваше отношение, — сказал он. — Но я не телохранитель и давно не полицейский и не секретный агент. Я теперь просто фермер.

На лице Арманда не дрогнул ни один мускул, только в глазах мелькнул насмешливый огонек.

— Да, мне говорили. Если тебе угодно, согласимся с этим. Пусть ты теперь фермер. Но ты мне нужен. Как никто другой. Но я не хочу быть настойчивым, давить на тебя своей дружбой с твоим отцом. Давай пока оставим этот разговор. — Арманд знал, где стоит нажать, а где лучше отступить. — Отложим его. Прежде тебе следует повидаться с Габриелой. Будь нашим гостем. — Он встал, показывая, что беседа закончена. — Мой шофер отвезет тебя во дворец. Я задержусь здесь еще на некоторое время.

Было позднее утро, лучи солнца потоком вливались в окно, ярко освещая комнату. Рив смотрел, как они играют на полу. Ему хотелось курить. Он снова имел беседу с Армандом, когда они завтракали вдвоем. Он видел, что князь полон холодной решимости и не собирается отступать. Он вырос повелевая, властвовать было у него в крови.

Тихонько выругавшись, Рив стал смотреть в окно на величественные горы, окаймлявшие Кордину.

Какого черта он здесь делает? Его страна теперь далеко — за тысячи миль отсюда. Он бросил ферму в напряженный период пахоты и сева. Вместо того чтобы трудиться, он торчит в этой сказочно красивой маленькой стране, где воздух напоен ароматами цветов и плещет голубое море. Не надо было приезжать. Когда Арманд связался с ним, было легко отказать, сославшись на неотложные дела. Даже когда отец стал настаивать и просить за друга, он мог еще привести веский довод — его зовет фермерский долг. Но он имел глупость согласиться.

Рив вздохнул, понимая, почему так поступил. Его отец чуть ли не впервые обратился к нему с просьбой, хотя сам дал ему так много. Дружба, связывавшая Арманда, князя Кордины, и посла Фрэнсиса Макги была длительной и полна искренней привязанности. Арманд прилетал в Штаты на похороны матери Рива. Невозможно забыть, какое значение имела его поддержка для отца в тот момент.

Да и сам он никогда не забывал принцессу. Сейчас он сидел на краю больничной кровати, отвернувшись к окну. Она спала за его спиной, бледная, хрупкая и ранимая. Впервые он увидел ее, когда десять лет назад с родителями приехал в Кордину. Это был ее шестнадцатый день рождения. Ему тогда уже было двадцать, и он успешно делал карьеру, будучи вполне серьезным и трезвомыслящим молодым человеком. Тем не менее он не мог отрицать, что готов поверить в сказку, когда смотрел на ее высочество, принцессу Кордины.

Ее платье он помнил до сих пор — светло-зеленый шелк оттенка листьев мяты облегал неправдоподобно тонкую талию, окутывая всю фигуру как облаком. Она светилась юностью и счастьем. Небольшая бриллиантовая диадема переливалась на великолепных каштановых волосах, которые хотелось распустить и гладить. Кожа ее была бело-розовая, черты лица тонкие, рот чувственный, полные губки обещали поцелуи. А глаза... Их он запомнил больше всего. Ее глаза под дугами темных бровей, окруженные густыми длинными ресницами, были похожи на топазы.

Рив отвернулся от окна и стал смотреть на спящую Габриелу. Ее лицо было таким же, как в юности, даже более утонченным. Теперь, когда она из юной девушки превратилась во взрослую женщину, высокие скулы придавали ей немного надменный вид, кожа была очень бледная, безжизненная. Волосы, все такие же великолепные, каштановые, блестящие, зачесаны назад, отчего лицо казалось еще более беззащитным. Красота осталась, но что-то в ней появилось неземное, хрупкое.

Одна рука лежала поверх покрывала, и он видел роскошь сапфиров и бриллиантов, с которыми никак не вязались короткие ногти, неухоженные, как будто обгрызенные или обломанные. В запястье была введена игла капельницы. Он вспомнил, что тогда на ее запястье красовался жемчужный браслет.

Рива накрыла волна гнева: кто сделал с ней такое? Прошла неделя со дня ее похищения и два дня после того, как одна молодая пара нашла ее на обочине. Что же с ней произошло? Он помнил запах ее духов, хотя прошло десять лет. А она не помнила даже собственного имени.

Что ж, какие-то загадки могли быть отложены на потом, но были и такие, которые требовали немедленной разгадки, а для этого следовало применить методы, как он считал, давно устаревшие, связанные с насилием.

Рив мрачно подумал, что князь Арманд очень умен — дал ему возможность увидеть принцессу, прежде чем он примет решение. Теперь он вряд ли сможет отказать.

Но что он может для нее сделать? Тем более теперь, когда решил начать новую жизнь, не связанную с расследованиями. Попытка тут же разбилась о чужую волю. Его вовлекли в проблемы, которые не касались его лично. Дело уже не только в просьбе отца. И все случилось как раз в тот момент, когда он окончательно решил изменить свою жизнь и покончить с прошлым.

Рив все еще сидел в мрачной задумчивости, сдвинув брови, погрузившись в невеселые мысли, когда Габриела внезапно открыла глаза. Увидев чужого человека, она застыла от ужаса. До чего же мрачное, разъяренное лицо. Голубые беспощадные глаза с черными точками зрачков, сжатый рот. Это бред или все происходит наяву? Она уже знала, что находится в больнице, и осторожно огляделась, чтобы еще раз удостовериться в этом. Пальцы вцепились в простыню с такой силой, что побелели костяшки пальцев, но голос прозвучал спокойно:

— Кто вы?

Как бы она ни изменилась за последние годы или за последние шесть дней, ее глаза были прежними. Рив зачарованно смотрел в их искрящуюся светло-медовую глубину и чувствовал, что тонет.

— Я Рив Макги, друг вашего отца, — поспешно ответил он.

Бри испытала огромное облегчение. Он вспомнила человека с сединой в черных волосах, прямой осанкой и властными манерами, который сказал, что он ее отец. Никто не догадывался, что она провела ночь без сна, пытаясь вспомнить хотя бы обрывки прошлой жизни.

— Мы знакомы?

— Мы встречались несколько лет назад, ваше высочество. — Глаза, которые восхитили его в юности, теперь завораживали во взрослой женщине, в них появилась надежда, что он поможет ей зацепиться за воспоминания и вытащить прошлую жизнь из уснувшей памяти. — Отмечали ваш шестнадцатый день рождения. Вы были восхитительны.

— Вы американец, Рив Макги?

Он прищурился, замешкался с ответом.

— Да, но как вы догадались?

— Ваш голос и акцент. — Она, кажется, ухватилась за него как за соломинку. — Я ведь была там, у вас на родине?

— Да, ваше высочество.

Габриела могла только предполагать, надеясь на интуицию. Или все-таки действительно помнила?

— Нет, ничего, — ответила она на его немой вопрос. Слезы подступили совсем близко, но она была дочь своего отца и сдержала их. Помолчав, чтобы справиться с волнением, Габриела продолжила уже спокойнее: — Вы можете такое вообразить? Проснуться и ничего не помнить? Моя жизнь — пустые страницы. И теперь остается ждать, когда другие заполнят их для меня. Что со мной случилось?

— Ваше высочество...

— Вы обязательно должны так ко мне обращаться?

Вспышка нетерпения, прозвучавшая в ее голосе, позабавила его, но он сдержал улыбку.

— Нет, не обязательно, — просто ответил он и устроился поудобнее на краешке кровати, — а как вы хотите, чтобы я называл вас?

— По имени. — Она нетерпеливо взглянула на повязку на запястье и капельницу. Это уже ни к чему. — Мне сказали, что меня зовут Габриела.

— Чаще вас звали Бри.

— Что ж, очень хорошо. А теперь расскажите, что произошло со мной.

— Но мы сами не знаем подробностей.

— Не может быть, — сухо заметила Габриела, внимательно изучая лицо Рива, — если не все, то что-то вам известно.

Он тоже смотрел на нее и думал, что, несмотря на внешнюю слабость и хрупкость в ней чувствуется сильная воля.

— В прошлое воскресенье, после обеда, вы отправились на автомобильную прогулку по окрестностям. На следующий день ваш автомобиль нашли пустым. За это время были звонки. О выкупе. Вас похитили и удерживали где-то. — Рив не стал говорить об угрозах и о том, что похитители обещали сделать с принцессой, если выкуп не будет выплачен. — К непомерно высокой сумме выкупа добавлялось требование освободить некоторых узников.

— Похитили... — Габриела схватила его за руку, потому что перед ней возникли смутные образы, звуки, маленькая темная комната и запах... керосина и пыли. Вспомнилась дурнота и головная боль. Страх вернулся. — Я помню кое-что, но очень плохо, — тихо сказала она. — Как сквозь дымку, которая никак не прояснится.

— Я не доктор, — Рив был потрясен тем, как отозвалось в нем ее усилие обрести себя, — но все же понимаю, что вам не стоит спешить. Все вернется, память восстановится, когда придет время. Не старайтесь слишком сильно.

— Вам легко говорить. — Она выпустила его руку. — Кто-то украл мою жизнь, мистер Макги. А какое место вы занимали в моей жизни? — прозвучал неожиданный вопрос. — Мы были любовниками?

Рив удивленно приподнял бровь. А она, кажется, не собирается ходить вокруг да около. Ее вопрос развеселил его. Потом пришло сомнение: что, если она в ужасе от такого предположения?

— Нет. Я уже говорил, вам было шестнадцать, когда мы виделись в первый и последний раз. Наши отцы — старые друзья. Они вряд ли были бы в восторге, если бы я вдруг вас соблазнил.

— Понимаю. Тогда почему вы здесь?

— Ваш отец просил меня приехать. Он беспокоится о вашей безопасности.

Габриела взглянула на кольцо на своем пальце. Очень изысканное и дорогое, странно, что оно все еще на месте. Такое великолепие и такие неухоженные руки. Она нахмурилась, что-то снова мелькнуло в памяти, словно проблеск в тумане. Она сжала кулаки, пытаясь вспомнить. Ничего.

— Отец хочет позаботиться о моей безопасности, — сказала она, не замечая, что Рив не сводит с нее пристального взгляда, как будто изучает. — Это мне понятно. Но в чем ваш интерес?

— Я работал в службах безопасности и имею опыт в подобных делах. Князь Арманд просил меня проследить, чтобы с вами не случилось ничего подобного в будущем.

Габриела слегка нахмурилась, не догадываясь, что всегда так делала, когда размышляла о чем-либо.

— Телохранитель? Но мне это абсолютно не нравится.

Быстрое и уверенное заявление. Он бросил все, примчался за тысячи миль и был сходу отвергнут.

— Вы скоро поймете, ваше высочество, что принцесса не всегда вольна выбирать и делать только вещи ей приятные, придется привыкать.

Она взглянула на него пристально и поняла, что характер подводит ее, надо знать чувство меры и сдерживаться.

— Думаю, вы правы, мистер Макги. Но не думаю, что смогу вынести постоянное присутствие рядом постороннего человека, когда вернусь домой... — Она замолчала, потому что понятия не имела, что из себя представляет ее дом. Но повторила: — Когда я вернусь домой, то найду способ выйти из этого положения, а пока скажите отцу, что я отклоняю ваше любезное предложение.

— Предложение поступило не от вас, а от вашего отца.

Рив встал, и Габриела отметила его внушительный рост и гибкость движений натренированного тела, чего не могла скрыть модная небрежность костюма. Если такой захочет остановить кого-то — он сделает это, кто бы ни встал на его пути. В этом нет никакого сомнения.

Она испытала неожиданное чувство неловкости и смущение, хотя не до конца поняла его причину. Но инстинкт подсказывал, что совершенно ни к чему, чтобы этот мужчина постоянно находился рядом. Ее жизнь и так достаточно осложнена, и Рив Макги только усилит смятение.

Когда она спросила, были ли они любовниками, эта внезапно возникшая мысль одновременно напугала ее и взволновала. Но, когда он ответил отрицательно, эмоций никаких не возникло. Она фригидная женщина? Что ж, так даже проще.

— Мне сказали, что мне двадцать пять, мистер Макги.

— Вам не обязательно звать меня так. — Рив специально повторил ее слова и увидел промелькнувшую мгновенно улыбку. Она осветила ее лицо и пропала.

— Я взрослая женщина и сама принимаю решения, как мне жить.

— Но вы — член королевской семьи Кордины и некоторые решения не можете принимать самостоятельно. — Он подошел к двери, открыл ее и остановился, держась за ручку. — У меня есть другие дела в жизни, Габриела. И лучше бы мне заняться ими, чем быть нянькой принцессы. Но даже обычные люди не всегда вольны в выборе.

Габриела дождалась, пока закроется дверь, и села. И сразу накатила дурнота, голова закружилась, захотелось снова лечь и подождать, когда кто-нибудь придет на помощь. Но, решив, что больше не вынесет неопределенности, она спустила ноги на пол, подождала, когда прекратится головокружение и отступит волна слабости. Надо привыкать к такому состоянию. Потом встала и медленно направилась к зеркалу, висевшему на стене в углу.

Она не знала, как выглядит, пугали тысячи предположений, какое у нее лицо? На мгновение закрыв глаза, она сделала глубокий вдох и взглянула в зеркало.

Первое, что пришло в голову, — слишком худая и слишком бледная. Но, кажется, не уродлива. Испытывая облегчение, стала рассматривать себя. Глаза, правда, странного цвета, но не косые и не маленькие. Подняв руку, она провела по лицу, изучая его. Она худа, хрупкого сложения, напугана. Ничем не напоминала внешне мужчину, назвавшего себя ее отцом. Его лицо было волевым, ее слабым и бледным.

Кто же ты? — мысленно спросила она свое отражение. И вдруг как будто что-то надломилось внутри и слезы отчаяния хлынули из ее глаз.

Глава 2

Больше она не позволит себе этого никогда. Бри вышла из ванной после горячего спасительного душа с совершенно с другим настроением. Она не станет прятать лицо в ладонях и плакать из-за того, что мучительные усилия вспомнить прошлое не приносят результата. Вместо этого она попытается без паники, постепенно, фрагмент за фрагментом подобрать обрывки воспоминаний, что иногда всплывают в затуманенной памяти, и составить из них картину. Если в них заключены ответы на многочисленные вопросы, она их отыщет.

Сначала надо вернуться к обычной, не связанной с больницей жизни. Она открыла шкаф и нашла там халат, теплый, пушистый, изумрудно-зеленого цвета. Обшлага были немного вытерты, *значит, это ее старая, любимая вещь*. Надев его, она испытала приятное чувство комфорта. Но в шкафу больше ничего не было. Она решительно нажала кнопку звонка и стала ждать появления сестры.

— Мне нужна моя одежда.

— Но, ваше высочество, вам нельзя...

— Об этом я поговорю с доктором. И еще мне нужна щетка для волос, косметика и подходящая уличная одежда. — Габриела сцепила руки на груди. Этот жест не допускал возражений. — Я собираюсь домой сегодня же утром.

Сестра не осмелилась спорить с королевской особой. Она присела в поклоне и прямиком направилась к доктору. Тот немедленно поспешил к принцессе, готовясь терпеливо, но настойчиво уговорить ее оставаться в постели.

— Ваше высочество, что случилось? Вам нельзя пока вставать. — Лицо доктора выражало озабоченность и лучилось добротой.

— Доктор Франко. — Габриела решила проявить твердость. — Я ценю ваше внимание и профессионализм. Но сегодня я отправляюсь домой.

— Домой, — проговорил доктор и, подойдя ближе, проницательно заглянул в ее глаза. — Моя дорогая Габриела?

— Нет, — в ответ на его взгляд она покачала головой, — я все еще ничего не помню.

Доктор Франко не показал разочарования, только кивнул.

— Я говорил с доктором Кижински, ваше высочество. Он специалист и больше меня разбирается в вашем состоянии, он посмотрит вас сегодня днем.

— Я повидаюсь с вашим доктором Кижински, доктор Франко, но только не сегодня. — Габриела засунула руки в карманы халата и нащупала какой-то маленький гладкий предмет. Вытащив его на свет, она увидела, что это заколка для волос. Она крепко зажала ее в руке, как будто через нее пытаясь проникнуть в тайны прошлого. — Я собираюсь действовать собственными методами. Возможно, оказавшись среди знакомых вещей и обстановки, я все вспомню. Вы заверили меня вчера, когда мой... отец ушел, что моя амнезия временная и, за исключением шока и слабости, со мной все в порядке. А это означает, что я могу скорее восстановить силы дома.

— Но ваше состояние... оно требует непрерывного наблюдения, и это лучше делать здесь.

Габриела улыбнулась спокойно, но непреклонно:

— Я не хочу, чтобы меня изучали. Я выбираю дом.

— Так сказала моя малютка сразу после того, как ей удалили миндалины. — В дверях стоял князь Арманд, наблюдая, как хрупкая дочь противостоит тяжеловесу доктору. Он протянул ей руку. И с болью заметил, как она поколебалась, прежде чем принять ее. Он нежно сжал ее пальцы. — Ее высочество отправится домой, — сказал он и, обращаясь к доктору, примирительно добавил: — Вы дадите мне список инструкций по уходу и наблюдению за ней. Если она не станет слушаться, то вернется сюда.

Габриела хотела запротестовать, но вместо этого склонила голову в знак повиновения, хотя князь видел, как она недовольно вздернула бровь. Он видел это выражение сотни раз, когда дочь пыталась с ним торговаться и добивалась своего.

— Я пошлю за твоими вещами.

— Благодарю.

Габриела не добавила слово *отец*. И оба это отметили.

Спустя час она покинула больницу. Ей нравилось платье, которое было на ней, — по-весеннему легкое, с пастельным рисунком. И ее обрадовало, что она умеет искусно пользоваться косметикой.

Выйдя на солнце, она почувствовала тепло. От свежего воздуха щеки сразу порозовели, а тени под глазами стали меньше. Распущенные каштановые волосы свободно лежали по плечам. Духи, которыми она воспользовалась, имели дразнящий, неоспоримо французский запах. Он был ей знаком, как и старый халат, милый, привычный. Автомобиль оказался большим лимузином, просторными, приятно пахнущими кожей. Она не помнила, ездила ли в нем раньше. Лицо шофера, склонившегося с улыбкой, тоже было незнакомым. Он открыл для нее дверцу, помогая сесть. Князь сел напротив, наискосок.

— Ты выглядишь гораздо лучше, Бри.

Ей хотелось задать вопросы, связанные с теми обрывками воспоминаний, но они ускользали, захлестнутые эмоциями. Она сидела в обитом кожей и бархатом салоне лимузина, чувствуя себя абсолютно в своей тарелке. Сверкающее кольцо привычно сидело на пальце. Она знала, что туфли на ней итальянские. На то, что их надевали, указывали потертости на подошве. Разумеется, носила их она, они были абсолютно ей по ноге и очень удобны.

От князя Арманда тоже пахло знакомо и приятно.

— Я знаю, что говорю с легкостью по-французски. Потому что некоторые мысли возникают именно на этом языке, — начала она. — Еще я помню, как пахнут розы. Знаю, в каком направлении посмотреть, чтобы увидеть восход солнца, и где оно садится. Но не знаю, какой я человек — добрая или эгоистка. Не помню, какого цвета стены в моей комнате, не помню, как прошла до этого моя жизнь, как я потратила ее годы — с пользой или впустую.

У князя Арманда болело сердце, когда он видел ее спокойное лицо и слушал ее слова. Она как будто пыталась объяснить, почему не может чувствовать к нему дочернюю любовь.

— Я могу тебе дать ответы, но...

Она кивнула:

— Но не станете этого делать.

— Мне кажется, если ты сама найдешь ответы, так будет лучше. Ты сможешь таким образом узнать гораздо больше.

— Наверное. — Она тихонько погладила гладкую поверхность белой сумочки из змеиной кожи. — Я уже поняла, что слишком нетерпелива.

Князь улыбнулся, и Габриела испытала к нему теплое чувство. Она улыбнулась в ответ.

— Я вижу, ты на верном пути.

— И кажется, должна быть этим довольна.

— Моя милая Габриела, у меня нет иллюзий, что ты этим удовлетворишься, надолго не хватит.

Габриела стала смотреть в окно лимузина, который поднимался вверх по серпантину дороги. Повсюду росло множество пальм, их блестящие широкие листья покачивались, лаская взор. Стеной громоздились голые серые скалы, поросшие мхом, в их расщелинах пробивались дикие цветы. А внизу расстилалось море — безмятежно голубое и гладкое, как на картине. Дома из белого и розового камня, похожие на красивые игрушки, прилепились на скалистых выступах.

Все вокруг напоминало сказочную страну. С приближением города она не чувствовала страха, наоборот, ей становилось все спокойнее на душе. Вблизи дома не теряли сказочного очарования. Все они были явно старинными. Они шли рядами, один над другим. Никаких столичной суеты. Никакой спешки столицы. Видимо, эта мысль возникла потому, что ей приходилось бывать в других городах, где здания уходят к небу, а вокруг кипит и бурлит жизнь мегаполиса. Но именно здесь был ее дом. И она с радостью согласилась с этим. Ее дом.

— Вы не хотите рассказывать, какой я была. — Она взглянула прямо в глаза Арманду. — Расскажите тогда о Кордине.

Кажется, ему польстила просьба, она увидела это по довольному выражению его лица.

— Мы ведем род с древности. Биссет — фамилия нашей семьи. Они жили и правили здесь с XVII века. До этого Кордина была под властью то испанцев, то мавров, пока, наконец, не пришли французы. Наша Кордина — порт на Средиземном море, он очень выгодно расположен. В 1657-м один из Биссетов, тоже Арманд, получил право на княжение. Страна стала княжеством и с тех пор находится под нашим правлением. Так будет до тех пор, пока будут наследники по мужской линии. Титул не может перейти к дочери.

— Понятно. — Габриела с надменным видом вздернула подбородок — так хорошо знакомое отцу движение — и добавила: — Хотя я должна только радоваться этому обстоятельству, согласитесь, закон архаичный.

— Ты мне уже говорила об этом.

— Да?

Ее внимание привлекли дети, играющие на зеленой лужайке в парке у фонтана. Потом витрины магазина модной одежды, булочной-кондитерской с выставленными горками белых и розовых сладостей. Перед одним из домов пламенели азалии.

— И Биссеты правили хорошо?

Это снова был вопрос, который задала бы Бри. Хотя она не помнила ничего из прошлого, ее пытливый ум и любознательность остались прежними.

— Кордина — мирная страна. Строй — конституционная монархия. Мы являемся суверенным членом Объединенных Наций. Я правлю, мне помогает Любэ — государственный секретарь. Есть еще Королевский совет, который собирается три раза в год. Я обязан с ними консультироваться перед принятием решений по международным делам. И все принимаемые законы должны быть одобрены Национальным советом, который избирается.

— Есть в правительстве женщины?

Князь потер щеку.

— Ты не потеряла вкуса к политике. Да, есть и женщины. Хотя тебя их процент не устраивал, но тем не менее Кордина — прогрессивное государство.

— Ну, прогрессивность относительное понятие.

— Возможно. — Князь снова улыбнулся — их споры были привычным делом. Он продолжил: —Главная отрасль, разумеется, морское судоходство, но не отстает и туризм. У нас для этого есть все: прекрасная страна, природа и благоприятный климат. Мы вполне успешны. Хотя наша страна маленькая, ничтожной ее не назовешь. Мы хорошо ею управляем.

Габриела приняла информацию к сведению и больше не задавала вопросов. Тем более что в этот момент ее взору предстал замок.

Он стоял на высокой скамье в самой высокой точке Кордины. Отвесные стены скалы уходили в море. Это место было достойно самого короля Артура, он мог вполне здесь побывать в те далекие времена. В мозгу сквозь пелену забвения мелькнуло смутное узнавание, как будто она видела это место во сне.

Замок был построен из белого камня и представлял собой нагромождение башен, башенок, крепостных стен и шпилей. Когда-то возведенный как защитное укрепление и символ королевской власти и могущества, он парил над столицей, как будто защищая и благословляя эту землю.

Ворота не были закрыты. Охрана — гвардейцы с безупречной выправкой в красивой униформе — выглядела почти экзотически.

Бри подумала о Риве Макги.

— Ваш друг говорил со мной... мистер Макги. — Она оторвала взгляд от дворца. Эмоции потом, сначала дело. Кажется, она была именно так устроена, то есть прагматична, лишена романтики? — Он сказал, что вы просили его помочь. Я, разумеется, оценила вашу заботу, но иметь иностранца все время рядом кажется мне нецелесообразным, это создаст неловкость и определенные неудобства в жизни.

— Рив — сын моего старинного друга. Он не чужой. — *Как и я*, чуть не добавил Арманд. Следовало проявлять терпение.

— Но мне он чужой. Он рассказал сам, по собственному желанию, что мы виделись один раз, десять лет назад. Так что в любом случае, даже если бы я помнила его, он был бы для меня сейчас незнакомцем.

Арманд всегда восхищался логикой дочери, которая безошибочно делала вывод, который *ее* устраивал. Но восхищение не должно мешать делу.

— Он служил в секретной полиции в Америке, имеет опыт в таких делах, как наше. Он как раз тот человек, в котором мы сейчас нуждаемся.

Габриела вспомнила гвардейцев в красивой униформе у ворот и охранников, тоже в форме, следующих за ними сейчас в машине сопровождения.

— Но разве у нас недостаточно своих людей?

Арманд подождал с ответом, пока шофер не остановился у входа.

— Если бы они справлялись, то сейчас не возникло бы такой ситуации. — Он вышел из лимузина и помог выйти дочери. — Добро пожаловать домой, Бри.

Легкий бриз обвевал их, пока они стояли рука в руке. Князь чувствовал, что дочь колеблется, как будто не готова войти во дворец, и ждал. Габриела вдыхала аромат цветов, высаженных перед фасадом в цветниках, — роз, жасмина. Трава была зеленой, свежей, каменные белые стены на солнце так блестели, что слепили глаза.

Когда-то здесь, вероятно, был подъемный мост, она это чувствовала, но теперь к высокой арочной двери вели ступени. Оконные стекла, прозрачные, матовые, цветные, как и положено в таких дворцах, блестели, сверкали, переливались. Купол венчал флаг, он гордо реял на ветру — белый с красной полосой по диагонали. Она оглядела еще раз все здание. Казалось, оно ждало ее, приглашало войти, манило, суля чувство покоя. Какое из сверкающих окон ее? Скоро она узнает.

Габриела сделала шаг вперед. И как только двинулась с места, дверь широко распахнулась и молодой человек, темноволосый, сложенный как балетный танцор, сбежал по ступеням и принялся обнимать ее с пылкостью и энтузиазмом юности. От него явно пахло лошадьми.

— Я только что вернулся из конюшни, когда Алекс сказал, что ты уже в пути! — воскликнул молодой человек.

Чувствуя, как волны любви и нежности исходят от него, но оставаясь безразличной, Габриела беспомощно обернулась к Арманду.

— Бри надо отдохнуть, Беннет, — сказал князь.

— Разумеется. Где и отдохнуть, как не дома. — Юноша немного отклонился, продолжая держать ее руки в своих и радостно смеясь. Он был такой молодой, такой счастливый и очень красивым. Взглянув сестре в глаза, Беннет сочувственно спросил: — Ты не помнишь? Ничего?

Габриела не могла отстраниться, он так был счастлив видеть ее. Поэтому, пожав ему ответно руку, она произнесла:

— Прости.

Беннет открыл рот от изумления, но тут же опомнился и обвил рукой ее талию.

— Чепуха, — сказал он, но все-таки чуть отодвинулся. — Ничего. Теперь ты все вспомнишь, теперь ты дома. Мы с Алексом хотели навестить тебя в госпитале после обеда. Но такая неожиданная радость — ты приехала сама.

Он вел ее вверх по ступеням и что-то непрерывно говорил, наверное, чтобы сгладить неловкость. Она очутилась в громадном холле, который поражал своими размерами, высоким расписным потолком и отполированным до блеска полом. Широкая лестница в конце холла, казалось, вела в бесконечность. Где-то там, находилась ее комната.

Габриела не торопилась, чтобы немного успокоиться, чувствуя, как колотится сердце, постояла, вдыхая аромат свежих цветов и паркетного лимонного воска. Стук ее каблуков по сверкающему паркету отдавался гулким эхом от стен. Она увидела громадную вазу на высоком постаменте и поняла, что знает точно — ваза относится к династии Мин, а постамент к эпохе Людовика XIV. Значит, она помнила и узнавала вещи, окружавшие ее, знала их происхождение и историю. Но себя не могла связать с ними. Солнце, вливавшееся в большие арочные окна, не согревало ее.

Бежать. Ей вдруг захотелось повернуть назад, уйти отсюда, вернуться в безопасность больничной палаты. Там не было непонятных вещей, вопросов, загадок, которые сейчас обрушились на нее. Не было этой изливавшейся на нее щедро любви, на которую она не могла ответить людям, которые ждали этого. Или она вообще не способна на любовь? И, даже вспомнив все, останется холодной, отчужденной?

Беннет, как будто почувствовав страх сестры, крепче обнял ее.

— Все будет хорошо, Бри, вот увидишь.

Она смогла лишь едва улыбнуться:

— Не сомневаюсь.

Неподалеку открылась дверь одной из комнат, выходивших в холл, на пороге появился молодой человек. Габриела уже понимала, что это ее второй брат. Его сходство с тем, кто стоял с ней рядом, было очевидным. Она попыталась не отвлекаться и сосредоточила внимание на его лице, чтобы уловить в себе малейшие признаки узнавания. Он не был таким красавцем, как Беннет, его черты были более решительные, он выглядел серьезнее и сдержаннее, чем младший брат. Хотя он был тоже очень молод, в нем чувствовалась та же властная уверенность, как у отца. Ну, разумеется, он — наследник престола. Одновременно щедрый подарок судьбы, но и нелегкая ноша.

— Габриела, — произнес Алекс, но не бросился навстречу сестре, как Беннет, а подошел неторопливо и внимательно заглянул в глаза, поднял руку и погладил ее по щеке. Жест был таким естественным, как будто он делал так раньше много раз в прошлом. Пальцы были теплыми. Она ощутила их ласку. — Мы скучали по тебе. Никто ни разу на меня не крикнул, целую неделю.

— Я... — Габриела замолчала.

Что она должна сказать, что должна чувствовать? Она была не готова к встрече и теперь не знала, что делать. Вдруг за спиной Алекса она увидела Рива. Он, вероятно, находился в комнате вместе с наследником и теперь вышел на середину холла, чтобы взглянуть на воссоединение членов семьи. В другое время подобное вмешательство возмутило бы ее, но сейчас ей требовалось присутствие этого сдержанного, спокойного незнакомца. Чувствуя, что сил не остается, уже с трудом себя контролируя, она слегка дотронулась до руки брата:

— Прости, но мне бы хотелось отдохнуть.

В его взгляде она прочла понимание. Он сразу отпустил ее.

— Разумеется. Я отведу тебя наверх.

— Нет, — она старалась говорить как можно мягче, чтобы не обидеть брата резкостью отказа, — прости, но мне нужно время, чтобы привыкнуть. Может быть, мистер Макги покажет мне мою комнату?

— Но, Бри...

Протест Беннета был немедленно прерван Армандом.

— Рив, ты знаешь, где находится комната Габриелы?

— Разумеется. — Рив подошел, взял ее за руку без лишних эмоций и услышал легкий вздох облегчения. — Ваше высочество?

Она покорно позволила ему повести себя по уходившей вверх широкой лестнице и оглянулась только один раз. Трое мужчин смотрели им вслед, такие далекие и такие чужие. Эта мысль мелькнула и пропала. Они в молчании продолжили подъем.

Габриела не узнавала широких коридоров, не помнила картин, висевших на стенах гобеленов и занавесей. Они прошли мимо служанки, которая присела перед принцессой, глаза ее были полны слез.

— Неужели все так меня любили? — пробормотала она.

Рив не отпускал ее руки.

— Обычно люди хотят, чтобы их любили.

— Но задумываются ли они, заслужена ли ими такая любовь? — Тряхнув нетерпеливо головой, как будто отгоняя эти мысли, Габриела объяснила: — У меня такое впечатление, как будто меня поместили в чье-то тело. Оно имеет прошлое, а я — нет. И вот выглядываю теперь из чужого тела и замечаю реакцию других на него.

— Вы можете использовать их любовь, как преимущество.

Габриела бросила на Рива быстрый взгляд.

— Каким образом? Едва ли вы знаете, что такое видеть и замечать чувства других по отношению к себе, но при этом не иметь собственных мнений и эмоций.

— Зато вы можете быть объективны, вам не будут мешать чувства, и это может быть важно, потому что как нельзя лучше поможет понять себя.

— Уверена, вы теперь понимаете, почему я просила именно вас проводить меня.

— Вы действительно так считаете?

Рив остановился у двери с красивым резным орнаментом.

— Знаете, совсем недавно я думала, что не хочу рядом с собой незнакомых людей. Посторонних в своей жизни. А теперь все изменилось. Не испытывая ко мне никаких родственных чувств, вы ничего не ждете от меня. Вы смотрите на меня без предубеждения и можете быть прагматичны и объективны.

Он близко видел перед собой ее лицо в слабо освещенном коридоре и думал, что невозможно оставаться равнодушным и бесстрастным. Но сейчас не время и не место, чтобы сказать ей об этом.

— Внизу вы показались мне напуганной.

Она, откинув назад голову, прямо встретила его внимательный взгляд.

— Вы правы.

— Значит, вы приняли предложение и решили мне доверять?

— Нет. — Ее улыбка напомнила ту юную очаровательную девушку с бриллиантовой диадемой в волосах. — В моей ситуации я никому не могу доверять.

Рива покоряло даже не очарование, а внутренняя сила, скрывавшаяся под внешней девичьей хрупкостью.

— Тогда что же вы решили?

Габриеле импонировала его внешность, невозможно было остаться равнодушной к настоящей мужской притягательности, но больше всего ей нравилась его спокойная уверенность в себе.

— Вы мне не нужны как полицейский, Рив, — ответила она. — Мне подходит, что мы с вами едва знакомы, присутствие рядом незнакомца для меня лучше всего в данной ситуации. А поскольку отец настаивает, чтобы вы были моим телохранителем, мы можем заключить соглашение.

— Какого рода?

— Я не хочу все время быть под опекой родных. Мне она сейчас в тягость. Вы понимаете. И вы можете стать буфером между мной и...

— Вашей семьей?

Габриела прикрыла глаза, пальцы сжали белую сумочку.

— Вы сказали это за меня. Я не хотела быть резкой.

Рив должен быть доволен таким договором.

— Ну что ж, у вас есть право на временное сохранение дистанции.

— От меня хотят понимания, подгоняют, и я это чувствую, мне трудно соответствовать. Так это моя комната?

Габриела выглядела в эту минуту такой потерянной, что захотелось ее утешить, но Рив понимал: это последнее, что она ждет от него.

— Да.

— Вы сочтете меня трусихой, если я попрошу вас войти вместе со мной? Я боюсь.

Вместо ответа, он открыл дверь и вошел первым.

Она проследовала за ним и огляделась. Итак, она предпочитает пастельные тона. Маленькая гостиная оказалась очаровательной, без глупых кружевных занавесок, ненужных безделушек. Несмотря на их отсутствие, комната выглядела очень женственно. С облегчением мелькнула мысль, что в той жизни, которую не помнила, она была настоящей женщиной, и, возможно, ей удастся полюбить ту Габриелу.

Здесь не было ничего лишнего, только необходимое. Свежие цветы в вазе и на бюро времен королевы Анны. На туалетном столике — набор изящных бутылочек, раз0личных цветов и размеров, очевидно, их назначением было просто радовать глаз.

Она ступила на бледно-розовый ковер, потрогала резную спинку кресла.

— Мне говорили, что вы заново декорировали свою комнату три года назад, — сказал Рив, — и теперь, наверное, вам приятно узнать, что у вас хороший вкус.

Интересно, она сама подбирала ткани, например мягкую обивку для кресла, вмещающего двоих, — настоящего любовного гнездышка? Габриела погладила ткань, желая вызвать в памяти хоть что-нибудь связанное с обстановкой комнаты, но не припомнила ничего. Из окна открывался вид на Кордину, которым она, вероятно, любовалась множество раз. Под окнами пестрели красивые цветники, большая зеленая лужайка простиралась до скалистого утеса, за ним виднелось море. Если взглянуть чуть в сторону, можно видеть город — дома, зелень, парки. Она была уверена, что дети все еще играют там в парке у фонтана.

— Но почему, желая что-то вспомнить, я все время как будто бы натыкаюсь на стену?

Отчаяние, прозвучавшее в голосе девушки, заставило Рива по-новому взглянуть на нее. Она сейчас не была рассудительно-насмешливой принцессой, которую он только что провожал сюда. Растерянная, беспомощная, напуганная, она искала ответа и не находила.

— Почему я сознательно противлюсь воспоминаниям?! — воскликнула Габриела.

— Наверное, есть вещи, которые вам не хотелось бы помнить.

— Не знаю. — Она бросила сумочку в кресло и начала нетерпеливо расхаживать по комнате, потирая руки, как будто мерзла. — Я не выношу эту стену забвения между собой и прошлой жизнью.

Рив чувствовал, что у принцессы страстная натура, перед такой женщиной трудно оставаться благоразумным и хладнокровным. Никакой мужчина не устоит перед этим опасным сочетанием слабости и силы, рассудительности и бурного темперамента. Ему придется нелегко.

— Надо запастись терпением, — сказал он и тут же подумал, что эти слова относятся скорее к нему самому, чем к ней.

— Опять терпение! — У нее вырвался нервный смешок. — Почему-то я уверена, что стоит вытащить из стены моего беспамятства один кирпичик, и она сразу обвалится. И сознательно не делаю этого. —

Она все ходила по комнате. Рив невольно любовался ее грацией. — Но вы должны мне помочь.

— Вся ваша семья готова вам помочь.

— Нет. — Габриела вдруг царственно вскинула голову. Голос ее был негромок, но не допускал возражений. — Они меня лучше знают, это так, но их чувства ко мне и отсутствие ответных чувств будут только мешать. К тому же я вижу их страдание оттого, что не узнаю́ их, и долго не выдержу.

— Но я вас совсем не знаю.

— Верно. — Она нетерпеливым жестом отбросила назад волосы. — Вы будете объективны, потому что не станете ежесекундно щадить мои чувства и стараться делать вид, что все в порядке. Ведь вы уже согласились принять предложение отца, разве не так?

Рив вспомнил свою ферму. Нахмурившись, помолчал некоторое время и ответил:

— Да.

— Итак, вы согласились занять место около меня, чтобы оценивать ситуацию, — продолжала она вкрадчиво, — а значит, сможете приносить мне пользу.

Он коротко рассмеялся:

— Я польщен, ваше высочество.

— Ну вот, теперь я вас обидела. — Габриела пожала плечами и взглянула на него. — Хотя поверьте, мы не раз будем раздражать и обижать друг друга, потому что я буду с вами откровенна и не стану искать вашего сочувствия и жалости. Я просто хочу кого-то иметь рядом. Потому что чувствую себя очень одиноко. — Голос ее слегка дрогнул. При ярком солнечном свете была особенно заметна ее бледность. — Я не помню ни одного из предметов, окружавших меня прежде, не помню, что было год назад, у меня нет никаких воспоминаний, ни счастливых, ни плохих. Даже своего полного имени я не помню.

Рив дотронулся до ее руки. Наверное, не стоило, но он не мог удержаться. И вдруг погладил легонько по щеке.

— Ваше имя — Габриела Маделин Жюстин Биссет, принцесса Кордины.

— Какое длинное. — Она улыбнулась, взяла его руку и сжала. — Но мне больше нравится просто Бри, меня успокаивает это имя. Вы хорошо относитесь к членам моей семьи, любите их.

— Конечно.

— Тогда помогите мне вернуть в себе ту, которую они любят. Помогите отыскать ее. За неделю я потеряла двадцать пять лет жизни. Я должна знать почему. Вы понимаете?

— Понимаю. — Рив убеждал себя, что не должен дотрагиваться до нее. — Но это еще не значит, что я смогу помочь.

— Нет, сможете. И не стесняйтесь, будьте со мной безжалостны и подталкивайте, заставляйте вспоминать. Можете даже быть грубым, все, что угодно, только не жалейте. Мне не надо этого терпения, которое проявляют со мной окружающие.

Он все еще держал ее руку.

— Но подумайте, о чем вы просите, перед вами бывший коп из Америки, а вы — принцесса.

Она рассмеялась от души. Такой смех он услышал впервые десять лет назад и теперь вспомнил его. И еще он помнил то, чего не помнила она, — вихрь вальса и колдовство лунной ночи. Оставаться рядом с ней не только неумно, но и опасно. Но он не мог ее покинуть. Пока.

А она не отнимала руки.

— Мы все еще отрубаем головы в Кордине? Хотя, наверное, все же пользуемся теперь более цивилизованными методами. Но существует неприкосновенность. — Она шутила и не была уже испуганной и растерянной, а скорее веселой и милой. — Я гарантирую вам неприкосновенность, Рив Макги. Вы получаете разрешение орать на меня, выпытывать подробности, подгонять и быть занудой, и все это без страха понести наказание.

— Не хотите скрепить королевской печатью это обещание?

— Если мне скажут, где она находится.

Напряжение спало, и, хотя лицо Габриелы все еще заливала бледность, ее улыбка была очаровательна. Рив почувствовал перемену — в ней появились решимость и надежда. Ему действительно захотелось помочь ей. О причине такого желания он подумает позже.

— Вашего слова достаточно, — улыбнулся он в ответ.

— И вашего тоже. Благодарю.

Он поднес ее руку к губам. Этот жест должен быть привычен для принцессы. Но когда поднял глаза, заметил, как в глубине глаз необычного цвета, похожих на топазы, мелькнул знакомый огонек. Перед ним была не только принцесса, но и женщина. Он достаточно пожил на свете, чтобы понять, что значило это выражение. Мало того, он ощутил в крови ответное волнение. Он выпустил ее руку, и оба одновременно сделали шаг назад.

— Я теперь оставлю вас. Имя вашей горничной Бернадетта. Если не хотите пригласить ее раньше, она появится за час до обеда.

— Я ценю все, что вы для меня делаете. — Рука Габриелы бессильно повисла вдоль тела, как будто не принадлежала ей.

— Ваше мнение обо мне может измениться. И к сожалению, не в лучшую сторону.

Отойдя на безопасное расстояние, Рив обернулся. Она все еще стояла у окна, лучи солнца падали на ее волосы и всю фигуру, заливая их мягким светом.

— На сегодня достаточно, Бри, — мягко сказал он, — завтра мы продолжим ломать вашу стену.

Глава 3

Она все-таки уснула, надеясь на лучшее, но, выплыв из сна, почувствовала себя хуже, в еще большем смятении, чем накануне, когда очнулась в больничной палате.

Габриела. Ее зовут Габриела. Она находится в своей комнате, такой уютной, которую, говорят, обставила по своему вкусу. Лежит на красивом, в бледных розово-голубых тонах покрывале, мягком, постеленном на широкой, просторной дубовой кровати. Легкий бриз врывается в окна, которые она распахнула вчера, когда осматривала спальню.

Итак, ее зовут Габриела, и у нее нет оснований для страха. Она в безопасности. *Безопасность*. Это слово она повторяла вновь и вновь, пока не почувствовала, как напряжение покидает ее и мышцы расслабляются.

— Так, так.

От раздавшегося рядом скрипучего голоса Габриелу охватила паника, она резко села и взглянула туда, откуда он раздался.

Напротив ее постели в кресле с прямой спинкой сидела старая женщина. Ее волосы были стянуты назад в аккуратный узел, так туго, что не выбивался ни один волосок. Они были серого цвета, абсолютно серого, без проблеска белого. Лицо напоминало пергамент, такой истонченной, желтоватой и морщинистой была кожа. Маленькие черные глазки смотрели на Габриелу пристально, рот, хотя и увял с возрастом, не был безвольным. На старухе было строгое черное платье, простого покроя, темные туфли и никаких украшений, за исключением бархатной ленточки с камеей на шее.

На память Габриела не надеялась, поэтому включила инстинкт. Рив советовал ей делать заключение о людях как бы с чистого листа. Мудрый совет. Эта старая женщина не внушала ей страха. И, успокаиваясь, она произнесла:

— Здравствуйте.

— Ну и ну. Вот что я скажу тебе сразу, — заговорила старуха со славянским акцентом, — после того как я проволновалась целую неделю, ты наконец объявилась и даже не удосужилась меня повидать.

— Простите. — Присутствие этой старой женщины было таким успокаивающим, что Габриела улыбнулась.

— Они мне сказали какую-то чепуху о том, что ты ничего не помнишь. Ба! — Старуха вдруг стукнула кулачком по ручке кресла. — Чтобы моя девочка не помнила свою старую няню!

— Я действительно не помню, — объяснила Габриела спокойно, — не помню абсолютно ничего.

Няня не зря прожила семьдесят три года, за свою жизнь она вынянчила много детей, потеряла своего собственного, чтобы подобное известие ее шокировало.

После короткого молчания она встала с кресла. Несмотря на морщины, на пальцы, изуродованные артритом, движения ее были легки, как у молодой женщины.

— Я Карлотта Барышнова, няня леди Гонории Брубек, твой тети, леди Элизабет Брубек, твоей матери. Когда она стала принцессой Кордины, я приехала с ней, чтобы нянчить ее детей. Я меняла тебе пеленки, вытирала нос, перевязывала разбитые коленки. Когда ты выйдешь замуж, я буду делать то же самое для твоих детей.

— Понятно. — Габриела снова улыбнулась, потому что видела, что няня не столько расстроена, сколько обижена. И подумала, что, наверное впервые ей по-настоящему хорошо с тех пор, как она пришла в себя. Надо бы снова посмотреться в зеркало. — А каким ребенком я была?

— Хммм, — это могло означать все, что угодно, и при этом обязательно доброту и любовь, — всяким, но всегда лучше, чем братья. А они были нелегким испытанием. — Няня приблизилась, разглядывая Бри с близоруким вниманием. — Ты почти не спала, — сделала она вывод, — что неудивительно. Сегодня на ночь я принесу тебе горячего молока.

— Я любила горячее молоко?

— Нет. Но ты выпьешь. А сейчас я налью тебе ванну. Слишком много суеты и докторов вокруг, вот что тебе вредит. Я сказала этой глупой Бернадетте, что сегодня сама уложу тебя. Что это ты сделала со своими руками? — вдруг спросила она и, взяв руку Бри, поднесла к глазам, после чего начала причитать и хлопотать над своей подопечной, как курица над отставшим цыпленком: — Только неделя, и ты испортила ногти. Они хуже, чем у кухарки. Обломаны и запущены, как будто ты не тратила столько денег на маникюр.

Бри слушала страческое ворчание, и ей казалось, что она помнит эту сухую теплую руку и притворно сердитый голос, таивший ласку. Но воспоминание ускользнуло, не задержавшись надолго.

— Я часто делала маникюр?

— Раз в неделю, — фыркнула старуха, не выпуская пальцы Бри, — и мне кажется, тебе срочно надо сделать его снова.

— Мне нужно позвать кого-то?

— Для этого у тебя есть эта твоя секретарша с вечно поджатыми губами. Она назначит встречу. И волосы твои тоже требуют ухода. Посмотрите только — принцесса бегает где-то с обломанными ногтями и распущенными волосами! — Няня покачала с осуждением головой. — Ну и дела. — Продолжая ворчать, она пошла в соседнюю комнату.

Бри встала с постели и сняла с себя одежду. Она не чувствовала никакой неловкости в присутствии этой старой женщины, которая хлопотала сейчас в ванной. Вскоре няня появилась и помогла ей накинуть легкий шелковый халатик.

— Заколи волосы, — скомандовала она, — потом, после ванны, посмотрим, что можно с ними сделать. — Увидев замешательство на лице Бри, она сама прошла к туалетному столику и принесла шкатулку с эмалевой инкрустацией. Бри увидела в ней груду заколок. — Вот. — Голос старой няни потеплел, — твои волосы такие же густые, как у матери. Тебе понадобится много заколок.

Продолжая что-то говорить, няня повела Габриелу в ванную комнату, где с шумом наполнялась ванна. Над ванной потолок был прозрачный, лежа в ней, можно было в любую погоду и зимой и летом видеть небо. Пол и стены сверкали белым кафелем. На стенах было много цветущих растений, они свисали по стенам. Ванна, покрытая изнутри зеленой эмалью, поражала размерами, она была так вместительна, что туда могли поместиться трое. Интересно, неужели в ней мылись сразу три человека и одной из них была она? Эта мысль посетила Бри, пока она наблюдала, как из большого крана вливается широким водопадом вода. Пар уже наполнил помещение. Здесь пахло так же, как те духи, которые князь Арманд прислал сегодня утром. Любимый аромат Габриелы, напомнила она себе.

Халатик легко соскользнул с плеч Бри, и она погрузилась в воду. Няня ушла в спальню, бормоча о том, что приготовит для нее одежду.

Горячая вода приятно расслабляла, и Бри поняла, как ей недоставало именно этого. Она, наверное, лежала здесь сотни раз, глядя в небо и обдумывая планы на день.

Сегодня будет ужин. Она вообразила официально накрытый стол, серебро, льняную скатерть, хрусталь и китайский фарфор. Она с легкостью могла составить меню и подобрать вина к блюдам. Но понятия не имела, какой рисунок будет на тарелках торжественного сервиза и в каком шкафу он находится. Она стряхнула ненужные мысли и погрузилась глубже в воду. Как Бри уже поняла, она вообще не отличалась особым терпением. Но придется им запастись, в свое время память обязательно вернется. И поможет ей Рив Макги.

Она потянулась за мылом и огромной губкой и стала думать о нем. Какой он? Бывший полицейский, друг семьи. Хотя и не близкий друг, с ней почти незнаком. У него своя жизнь в Америке. Она там была? Он сказал, что была.

Нежась в ванне, она попыталась опять снять завесу со спящей памяти. Но мелькали лишь обрывки впечатлений и отдельные картины: мраморные здания и фрагменты официальных приемов. И река — широкая, с зелеными берегами и большим количеством судов. Она почувствовала утомление от усилий вспоминать. Это были не столь значительные события. И все-таки они подтверждали, что она была в стране Рива.

Если она надеется на его помощь, то должна понять, что он за человек. Безусловно красив, силен, по-мужски привлекателен, воспитан. Это внешне. Что там внутри, неизвестно. Род занятий предполагал жесткость и решительность. И одиночество. Как раз то, что ей надо.

У него не было причин, как у отца и братьев, стараться ее уберечь от опасности. И возможно, он не станет ей помогать так, как она хочет. Может быть, он соглашается с ней и делает вид, а на самом деле играет роль только потому, что принял предложение отца. В таком случае он станет выполнять его указания, а не следовать ее желаниям. *Телохранитель*. Слово вызывало раздражение. Ей не нужна тень, которая будет настойчиво и неотступно преследовать ее по пятам.

Но она сама просила его остаться. Почему? Потому что вдруг вспыхнула та искра, когда они стояли близко в коридоре. Нет. Ей было с ним легко. Как стыдно — иметь любящую семью, которая так хочет ее оберегать, и выбрать незнакомца. Но в их присутствии она чувствует напряжение и отчуждение. С ним ей спокойнее, и она сможет вести себя как ей захочется. А может быть, беспамятство к лучшему? Она бросила губку так, что вода выплеснулась на пол. Откуда ей знать, что она представляла собой раньше и понравится ли ей та прежняя Габриела? Она могла быть холодной, высокомерной, эгоистичной. Единственное, что Бри пока узнала, — она любила красиво одеваться, умела пользоваться косметикой и следила за руками, делая маникюр. Была пустышкой?

Но все любили ее. Она выловила губку и выжала ее себе на лицо. Вода была не горячей и не холодной, пахла духами. Дорогими.

Бри была уверена, что любовь в глазах близких была непритворной, искренней. Если она заслужила такую любовь, то чем? Как много времени еще понадобится, прежде чем она познает глубины своего «я».

Темперамент. Она была темпераментна, раз почувствовала влечение к Риву и, когда он поцеловал ей руку, ее тело откликнулось. Желание было острым и сильным. У нее нормальные сексуальные потребности. Она со смехом откинула голову и закрыла глаза. Сколько женщин могут честно признаться, невинны они или нет. Она не невинна?

Может быть, ему известно? Он наверняка разбирается в женщинах. В его взгляде она улавливала мужской интерес, этот взгляд иногда был слишком проникновенным. Она представила его рядом, как он касается, ласкает ее, как его пальцы скользят по ее обнаженной коже. И почувствовала, что в ней поднимается волна желания.

Интересно, это с ней впервые? Или уже раньше какой-нибудь мужчина будил подобную страсть? А может быть, она была просто чувственна и неразборчива и хотела любого приглянувшегося мужчину. И была ли она сама желанна для мужчин?

Бри встала из воды. Кажется, Рив был прав — у нее есть преимущества в сложившейся ситуации. Она может наблюдать, делать выводы и видеть, какое впечатление производит на окружающих. И сегодня вечером она это сделает.

Отец вел Бри по широкой бесконечной лестнице. Сегодня вечером коктейли в малой гостиной, предупредил он, когда зашел за ней. Причина его появления ясна, хотя он ничего не сказал. Она в своем доме, но не помнит, где эта гостиная. Остановившись у подножия лестницы, он поцеловал ей руку. Как Рив, но его поцелуй вызвал нежность, а не волнение.

— Ты выглядишь великолепно, Бри.

— Благодарю. Но это не трудно, имея такую коллекцию платьев в гардеробе.

Князь Арманд расхохотался и сразу помолодел.

— Ты часто говорила, что пристрастие к нарядам — твой единственный недостаток.

— Правда?

В вопросе звучала заинтересованность, и он, снова поцеловав ей руку, ответил:

— Я всегда гордился тобой. — Нежно прижав дочь к себе, Арманд повел ее по коридору.

Рив сразу заметил некоторое напряжение между Александром и Любэ — государственным министром. Наследник был с ним подчеркнуто вежлив. Наблюдая за ними, Рив решил, что, когда Александр получит трон, Любэ рядом не будет.

Его интересовал Александр. Молодой наследник был порывист — не обладая пока выдержкой отца, он старался ему подражать. Наследнику следовало еще научиться сохранять хладнокровие и не проявлять бурно эмоций, во всяком случае, на публике. Беннет был другим. Рив посмотрел на второго принца. Тот в свободной позе сидел в кресле, особенно не вслушиваясь в разговоры вокруг. Он не давал себе труда вникать и делать выводы, как старший брат, и придавать словам значение. Он был всем доволен и рад развлечься.

Но больше всех Рива, конечно, интересовала Габриела. Он не знал, какой она стала с годами. Такой же вспыльчивой, как старший брат? Или характером больше похожа на младшего — такая же жизнерадостная и беспечная? Наверное, ни то ни другое.

Во время двух коротких встреч она дала понять, что тоже не прочь узнать о самой себе.

Итак, какая она? Безусловно, красивая. Классическая красота и элегантность не были утеряны вместе с памятью. Растерянность и хрупкость не отменяли железной воли. Ей она понадобится, он это чувствовал.

Она очень сексуальна. Он уже чувствовал этот женский магнетизм, его влекло к ней, но она не ослепила его сразу, как тогда, десять лет назад. Теперь перед ним была взрослая женщина, которая борется каждую минуту с собой, чтобы не утратить над своими чувствами контроль, и, хотя ей не справиться одной, не надо ее недооценивать. Она попала в немыслимую ситуацию, но не сдается.

Он признавался, что желание вспыхнуло в нем мгновенно, едва он увидел ее, и каждый раз возникает при встрече. Выражение ее глаз способно свести с ума любого. От них трудно оторваться, они как наваждение. Она всегда так смотрела? Или только сейчас, когда не знает, как поступить? О, ему надо быть осторожным с ней. Она может взглядом выражать все, вплоть до готовности полюбить, увлечься, дать себя соблазнить. Но она принцесса. Не сказочная, а настоящая, из плоти и крови.

И вот этому подтверждение. Габриела входила в гостиную, высоко подняв голову, как на арену, будто готовилась к бою. Жемчужные гроздья покачивались в ушах, на шее переливались жемчуга, как и в забранных наверх волосах. Цвет шелка и жемчуг очень шли ей. Она держалась с достоинством, почти вызовом, не льнула к отцу, как можно было ожидать в ее положении. Она была в полной боевой готовности и, как заметил с удовлетворением Рив, тоже наблюдала внимательно за происходящим.

— Ваше высочество.

Бри ждала, глядя, как в ней приближается через гостиную месье Любэ. Подойдя, он склонился над ее рукой. Он был не стар, моложе отца, хотя и старше Рива. В волосах проглядывали белые нити, лицо уже тронуто морщинами. Манеры его отличались изысканностью, что нельзя было не оценить, а чуть заметная при ходьбе скованность в левой ноге не помешала ему поклониться с большим изяществом. Он улыбался.

— Так приятно видеть вас снова дома.

Она ничего не почувствовала, когда их руки соприкоснулись, и ничего не вспомнила, когда их глаза встретились. Ее память молчала.

— Благодарю вас.

— У месье Любэ есть небольшое дело, требующее его немедленного внимания, — сказал отец, приходя ей на помощь. — К сожалению, он не сможет присутствовать на ужине.

— Только дела и никаких удовольствий, не так ли, месье Любэ, это ваш девиз? — заметила непринужденно Бри.

— Для меня самым большим удовольствием является видеть вас здесь в безопасности, ваше высочество.

Бри заметила, как министр и отец обменялись взглядами. Проходя через гостиную, она поймала одобрение во взгляде Рива. Он слегка кивнул, и напряжение немного отпустило.

— Прошу вас, господа, устраивайтесь удобнее. — Она жестом хозяйки пригласила всех садиться. Всех, кроме Беннета, с улыбкой отметив, что он не нуждается в приглашении и уже устроился с удобствами. Она подошла к нему и тихо спросила, кивнув в сторону бара: — У меня есть любимый напиток?

— Артезианская вода с лимоном, — ухмыльнулся брат. — Ты всегда говорила, что вина хватает и за ужином, поэтому не стоит затуманивать голову аперитивом.

— Как благоразумно с моей стороны.

Рив направился к бару за водой. Она села на один из диванов и оглянулась. Одни мужчины, и все они собрались вокруг нее. В ее жизни большую роль играло мужское общество? Она взяла стакан у Рива и сделала глоток. Потом тихо сказала:

— Хотите, я расскажу вам, что вижу? Александр раздосадован, а мой отец ведет себя рядом со мной с предусмотрительностью человека, шагающего по минному полю. Я же в центре всего.

— Надо, чтобы ее оставили, наконец, в покое, — неожиданно заявил Александр. — Это дело касается только семьи.

— Но дело семьи — это всегда и дело Кордины, ваше высочество, — незамедлительно ответил Любэ, мягко, но непреклонно. Состояние принцессы — дело не только личное, но и государственное. Боюсь, что в прессу просочатся слухи о ее временной амнезии. Сейчас мы стараемся успокоить наших людей, а принцессе надо дать возможность прийти в себя.

— Любэ прав, Александр. — Арманд произнес это очень доброжелательно, в его голосе звучала любовь к сыну.

— Только теоретически. — Александр сделал большой глоток из бокала и послал возмущенный взгляд Риву. — Мы уже привлекли иностранцев. Габриеле сейчас нужны покой и лечение. А тот, кто совершил это, поплатится... — его пальцы стиснули бокал, — поплатится, кем бы он ни был.

— Александр. — Бри коснулась руки брата успокаивающим жестом, хорошо ему знакомым, хотя она сама этого не знала. — Сначала я должна вспомнить, что со мной произошло, прежде чем кто-то понесет наказание.

— Ты вспомнишь, когда будешь готова. А пока...

— А пока, — вмешался отец, — Бри надо охранять любыми возможными способами. И я согласен с Любэ, что скрыть от публики амнезию необходимо. Если похитители узнают, что ты ничего нам не рассказала, они могут предпринять шаги, чтобы заставить тебя замолчать, прежде чем память вернется.

Бри снова отпила воды. Хотя внешне она сохраняла спокойствие, Рив по ее глазам видел, что это не так.

— Но разве это возможно скрыть?

— Если позволите, ваше высочество, — обратился к ней Любэ, обменявшись взглядом с Армандом. — Согласитесь, что вам лучше оставаться пока в стенах дворца, где вам ничего не угрожает. И это позволит нам хранить молчание и скрыть ваше состояние. Естественно, что стресс требует лечения и покоя. Доктору, который будет вам помогать, можно доверять, он не проговорится. Вернее, скажет только то, что мы ему прикажем.

— Нет.

— Простите?

— Нет, — повторила Бри, обращаясь к Любэ, но глядя на отца, — я не стану сидеть во дворце, как в тюрьме. Я уже побывала недавно в заключении. И теперь предпочитаю встретиться с трудностями, а не скрываться от них, забившись в угол. — Она увидела, как Беннет ухмыльнулся и поднял свой бокал в ее честь.

— Но, ваше высочество, вы должны понимать, какие сложности это вызовет и какую опасность могут повлечь ваши поступки. Ведь полиции не удалось пока никого задержать.

— Значит, вы решили, что я должна оставаться взаперти. И как долго? — Она покачала головой. — Нет, я не согласна.

— Бри, наш долг не всегда совпадает с желаниями, — сказал отец.

— Возможно. Я сейчас не в состоянии оценить опасность, потому что не имею опыта. — Она взглянула на свое кольцо и задумалась: да, похитители на свободе и, наверное, чувствуют себя в неуязвимости. — Месье Любэ, вы меня хорошо знаете?

— Ваше высочество, с тех пор, как вы были еще ребенком...

— Вы можете сказать, я достаточно благоразумна? В его глазах мелькнули искорки.

— Более чем...

— Тогда, думаю, мы найдем компромисс между вашим и моим решением. Амнезию можно скрыть, но я не стану прятаться в четырех стенах.

Арманд хотел что-то сказать, но передумал. Легкая улыбка заиграла на его губах. Его дочь, с удовлетворением отметил он, ничуть не изменилась.

— Ваше высочество, я готов помочь вам во всем лично. Но...

— Благодарю, месье Любэ, но мистер Макги уже согласился меня охранять. — Ее тон был мягок, но не допускал возражений. — И если я захочу узнать то, чего не знаю, он мне расскажет.

Она снова отметила сердитый вид Александра, задумчивость Арманда и едва скрытое вежливой миной недовольство государственного министра. Рив тоже все видел и пришел на помощь:

— Мы с принцессой заключили соглашение. — Он оглядел присутствующих. — Она чувствует, что переносить незнакомого человека рядом ей будет легче, это сулит некоторые преимущества.

— Мы это обсудим позже, — сказал князь, давая понять, что пока тема исчерпана. — Я сожалею, что ваша занятость не позволит вам с нами поужинать, Любэ. Мы вернемся к нашему разговору завтра утром.

— Хорошо, ваша светлость.

Любэ вежливо раскланялся и удалился. Бри задумчиво смотрела ему вслед.

— Он выглядит искренним и компетентным. Я его любила?

Отец с улыбкой дотронулся до ее руки.

— Ты никогда не выражала к нему своего отношения. Он хорошо делает свое дело.

— И скучен до чертиков. — С этим невежливым замечанием Беннет поднялся с дивана. — Пошли ужинать. — Он взял Бри под руку. — Мы сегодня отпразднуем как следует. Приготовлены самые любимые твои блюда. Можешь съесть хоть полдюжины свежих устриц.

— Я их любила?

— Ты их обожаешь! — воскликнул брат и повел ее к столу.

— Какой он забавный, наш Беннет, я просто наслаждалась его шутками, — говорила Бри спустя два часа, выходя на террасу вместе с Ривом.

— И приятно, что вы обнаружили в себе чувство юмора? — Он прикурил от зажигалки и выпустил струю дыма, которую подхватил тут же легкий ветерок и унес в темноту.

— Разумеется. И еще я узнала, что ненавижу устрицы и что мой характер требует корректировки. Я ему еще отомщу за то, что он заставил меня проглотить эту гадость... — Она повернулась и, опершись спиной о каменную балюстраду, посмотрела на Рива. — Я поставила вас в неловкую ситуацию, но, поверьте, я этого не хотела, так уж получилось.

— Боюсь, что теперь это не исправить. Но позднее я возьму реванш, будьте уверены.

— Не сомневаюсь. — Бри весело рассмеялась, откинув голову. Казалось, она никогда не испытывала страха. Напряжение оставило ее. — И поэтому я выбрала вас в качестве своего защитника. Кстати, сегодня я воспользовалась вашим советом.

— Которым?

— Наблюдать, замечать и делать выводы. Вот они — у меня хороший отец. Несмотря на свое высокое положение и обязанности, несмотря на тяжелую неделю, он остался добрым и веселым. И я заметила, что слуги глубоко уважают его, не испытывая боязливого трепета. Вероятно, он справедлив. Вы согласны?

Лунный свет играл в ее волосах, жемчужины переливались, как капли дождя в лучах солнца.

— Согласен.

— Что касается Александра, он... Как бы подобрать верные слова... — Бри покачала головой и, отвернувшись, стала глядеть в темноту. Рив близко видел изгиб ее шеи. — Он слишком серьезен для молодого человека, и он не решил насчет вас — нравитесь вы ему или нет.

Она снова повернулась. Ее губы оказались так близко.

— Вероятно.

— Это вас беспокоит?

— Не обязательно всем нравиться.

— Мне бы вашу уверенность в себе, — тихо сказала она, — и, кстати, я только усилила его неприязнь, когда попросила именно вас сопровождать меня сюда. Я видела, что он раздосадован. Александр очень серьезно относится к семье и придает большое значение семейным отношениям.

— В его представлении он отвечает за вас.

— Его мнение потребует изменений. Беннет совсем другой. Он выглядит беспечным, потому что еще очень молод, а может быть, потому, что младший сын и не является наследником. Но и он смотрит на меня так, как будто я в любой момент могу упасть, и тогда он подхватит меня. А месье Любэ? Что вы о нем думаете?

— Я его не знаю.

— Я тоже, — сухо заметила она, — и тем не менее?

— Кажется, он не слишком соответствует своей должности.

— А вы прямолинейны. Это американская черта?

— Это свойство характера — не прятаться за манерами и недомолвками, убирать ненужные условности. Вы кажетесь мне тоже достаточно прямолинейной.

— Вот как? — Бри сжала губы, раздумывая над его словами. — Возможно, я такая по необходимости. Мне нельзя позволить себе никакого притворства, мое положение и без этого трудное, лучше уж быть прямолинейной. Но я справляюсь.

Кажется, все-таки не очень, и напряжение сказывалось больше, чем она себе представляла. Вечер дался ей нелегко. Он думал об этом, пока она напряженно вглядывалась в темноту. Она устала, но он понимал ее нежелание идти к себе, где она останется одна со своими мыслями и вопросами, на которые нет ответа.

— Бри, вы не думали уехать на несколько дней куда-нибудь? — вдруг спросил Рив и, почувствовав, как она сразу вскипела гневом, примирительно положил руку ей на плечо. — Я не предлагаю бежать, только сменить обстановку. Это просто совет.

— Но я не могу, поймите, пока не выясню, кто я и что из себя представляю.

— Ваш доктор говорит, что амнезия временная.

— Но как долго она продлится? Неделю, месяц, год? Все плохо, Рив. Я не могу сидеть и ждать. В больнице я видела сны или видения. — Она закрыла глаза, глубоко вдохнула и продолжала: — Я как будто бы витала где-то, но не спала. И не могла пошевелиться. Хотела и не могла. Было очень темно. Голоса. Я слышала голоса и мучительно старалась разобрать слова, но страх не позволял это сделать. Я так боялась в этом полусне, а когда проснулась, страх остался.

Рив глубоко затянулся сигаретой. Хотя Габриела говорила это спокойным, бесцветным голосом, он понимал, как она напряжена.

— Вы были накачаны наркотиками.

Медленно повернув голову, она посмотрела на него широко открытыми глазами:

— Откуда вам известно?

— Докторам пришлось промывать ваш организм. В дальнейшем вы вряд ли сможете вспомнить те события, потому что были под действием сильнодействующих препаратов, даже если память вернется. Вы должны с этим смириться.

— Да, понимаю. — Она помолчала, успокаиваясь. — Я запомню. Что еще вы знаете? — Ее голос теперь был твердым.

— Очень немного.

— Говорите все.

Рив погасил сигарету о каменный парапет и выбросил вниз.

— Вы были похищены в воскресенье. Точное время неизвестно, поскольку вы ехали в машине одна. Вечером раздался звонок у Александра.

— Александра?

— Да. Потому что он, как правило, работает допоздна по вечерам в воскресенье в своем офисе. Сообщение было коротким— вас похитили и станут удерживать, пока не будут выполнены определенные условия. Однако они не были названы.

Там, где ее держали, было темно. Это она помнит.

— И как поступил Алекс?

— Он сразу направился к отцу. Начались поиски. Ваш автомобиль нашли в понедельник утром на поляне в сорока милях от города. Там есть участок земли, ваша собственность, вы часто ездили туда побыть в одиночестве. В понедельник вечером поступили требования похитителей. Большая денежная сумма. Разумеется, даже вопросов не возникло, семья собиралась ее выплатить, но раздался новый звонок с требованием освободить четырех заключенных в обмен на ваше освобождение.

— И это усложняло ситуацию.

— Двое заключенных были приговорены к смертной казни. За шпионаж, — уточнил Рив в ответ на вопросительное молчание. — Теперь решение дела было уже не только в руках вашего отца. Деньги заплатить — это одно, но освободить преступников — совсем другое. Переговоры с похитителями продолжались, как вдруг вас нашли в грозу на дороге.

— Я поеду туда, где нашли мой автомобиль и откуда меня похитили.

— Не сейчас. Я согласился вам помочь, Бри. Но стану делать это по своему усмотрению.

Габриела слегка прищурилась:

— Когда? Каким образом?

— Руководствуясь собственными заключениями. Когда решу, что вы достаточно окрепли. Я сам отвезу вас. Но пока не станем спешить.

— А если я не согласна?

— Тогда ваш отец, наверное, примет план Любэ.

— И я стану сидеть взаперти.

— Верно.

— Я знала, что с вами придется нелегко, Рив. — Она отошла и остановилась в полосе лунного света. — У меня, похоже, нет выбора. Хотя мне это не нравится, потому что отсутствие выбора означает, что я не свободна. Что ж, пора мне встретиться со своим секретарем.

— Смитерс. Ее зовут Джанет Смитерс.

— Какое чопорное имя, — сказала Бри. — Я посмотрю, какое она составила мне расписание, а потом обсужу его с вами. Я выполню его, даже если мне придется провести часы в походах по магазинам или в салоне красоты.

— Вы думаете, что проводили время таким образом?

— Вероятно. Ведь я богата?

— О да.

— Ну тогда... — Она пожала плечами и сменила тему: — Сегодня вечером, перед тем как спуститься к ужину, я принимала ванну и подумала о вас.

Рив, по своей привычке засунув руки глубоко в карманы, ждал.

— Вот как.

— Я пыталась сделать заключение. Что вы за человек. Это оказалась трудно — я понимала вас и не понимала. Не знаю, каким был мой опыт личной жизни, я не помню. Но думала я вот о чем —хотелось бы мне, чтобы вы меня поцеловали? — сказала Габриела без всякого смущения.

Не вынимая руки из карманов, покачиваясь на каблуках, Рив внимательно смотрел на ее лицо.

— Это было бы частью моей работы на вас, ваше высочество?

В ее глазах мелькнула обида.

— Мне все равно, как вы на это смотрите.

— Возможно. Но мне — нет.

— Вы не находите меня достаточно привлекательной?

Он заметил, как обидчиво выпятилась ее нижняя губа. Конечно, она привыкла к поклонению и комплиментам. Но от него не получит ничего подобного.

— У вас наверняка есть женщина, и вы почувствуете, что предали ее, поцеловав меня?

Он не двинулся с места.

— У меня нет обязательств подобного рода, ваше высочество.

— Почему вы вдруг стали ко мне так обращаться? Чтобы мне досадить?

— Да.

Она хотела рассердиться, но вдруг засмеялась:

— Этого вы добились.

— Уже поздно. — Он дружески взял ее за руку. — Пойдемте, я провожу вас наверх.

— Значит, вы не считаете меня достаточно привлекательной, — она пошла с ним рядом, — ведь, если это правда и у вас нет обязательств, почему вы не хотите меня поцеловать? Это мне помогло бы кое-что о себе выяснить, вы ведь говорили, что хотите мне помочь.

Он остановился, глядя на нее сверху вниз. Ее макушка достигала его щеки. Подняв к нему лицо, она заглянула ему в глаза.

— Я обещал вашему отцу, что буду оберегать вас от всех возможных неприятностей.

— Но вы обещали помочь мне вспомнить и узнать, какая я. Значит, ваши слова ничего не значат? А может быть, вам не нравится целовать женщин? — Ее тон стал пренебрежительным.

Она повернулась, чтобы уйти, но не успела сделать и двух шагов, как он схватил ее за руку.

— Вы хотите любым способом добиться своего? Она улыбнулась:

— Вот именно.

Он кивнул и привлек ее к себе.

— Я тоже.

Он едва коснулся губами ее губ, чтобы отделаться самым нейтральным поцелуем. Конечно же он мог понять причину ее настойчивости, желание почувствовать себя женщиной, а не объектом для изучения, потерявшим память и представление о себе. Но он также понимал, что она втягивает его во что-то, чего ему лучше избегать. Надо признаться, что он уже начинал грезить о ней. Какими будут на вкус ее губы? Представлял, как ее тело, гибкое и тонкое, прижмется к нему. И все-таки работа прежде всего. Он не привык относиться к работе легкомысленно.

Однако его намерение оставаться бесстрастным улетучилось через несколько секунд. Как только он ощутил ее мягкие, чувственно изогнутые губы, о которых уже начал мечтать. Напоследок мелькнула мысль, что его обязанность защищать ее, а не целоваться на темной террасе, но она была такой теплой, такой зовущей. Он почувствовал, как волна нетерпеливого желания поднимается в нем и готова его захлестнуть. Глаза ее полузакрылись, поблескивая золотом сквозь густые ресницы. Его рука обхватила ее шею, и поцелуй стал более глубоким и страстным. Разве он мог ему противиться? Да и кто смог бы? Кровь вскипела мгновенно, когда ее губы раскрылись и их языки соприкоснулись. Она тоже обвила руками его шею, прижимая его голову к себе. Запах ее духов, нежный и волнующий, будил самые темные глубины желания, кружил голову больше, чем ночной одурманивающий аромат цветов, поднимавшийся снизу от клумб, и, пока они сливались в поцелуе, залитые лунным светом, Рив почти поверил в сказки.

Габриела думала, что знает, что ожидать от поцелуя. Она надеялась, что память подскажет, как это было в отношении других вещей — вкуса еды или вина, но, когда оказалась в его объятиях, испытанные чувства были ей внове, никаких воспоминаний — чистый лист.

Если она раньше так же хотела мужчину, то, скорее всего, этого не помнила. Если кровь раньше так же бурлила, она этого не помнила. Голова у нее кружилась, нетерпение подхлестывало, ею владел самый низменный, примитивный инстинкт, и это ее не удивило.

Наверное, все-таки и раньше она испытывала подобное, но сейчас все казалось как будто в первый раз, в первый раз мужчина прижимал ее к себе, произносил ее имя, покрывал нетерпеливыми страстными поцелуями ее лицо.

Но были до него другие? Кто? И как много? Она уже стояла вот так, в лунном свете, обнимая кого-то? Так же без колебаний отдавалась захватившему чувству и хотела большего, чем поцелуи. Что происходит сейчас? Означает ли это, что впервые она испытывает такую страсть, или для нее это обычное дело? Она вдруг вырвалась из его объятий, потрясенная открытием — она доверяется и готова отдаться мужчине, практически незнакомцу, которого совсем не знает. Как и себя тоже.

— Рив, — произнесла она и сделала шаг назад. Сомнения переполняли ее. — Я не уверена, что стала понимать себя лучше.

Она хотела его, он не мог ошибаться. Но она не помнит, что было до него? Были другие мужчины? Сколько? Он, кажется, совсем потерял голову, ревнуя к прошлому, ему захотелось быть единственным. С трудом обретая контроль, он отстранился, хотя хотелось снова схватить ее в объятия, и, сохраняя благоразумную дистанцию, повел ее с террасы.

— Нам обоим лучше расстаться до утра.

Глава 4

Габриела была благодарна, когда, постучав в восемь часов утра в дверь, Рив просто спросил:

— Вы готовы?

И ни слова о том, что произошло накануне. Первый день не хотелось начинать с извинений и объяснений, что она не помнит, где ее кабинет. С Ривом легко, не надо ничего объяснять.

Но он ведь и был здесь для того, напомнила она себе, чтобы сопровождать ее. И если перестать все время думать о том, что произошло на залитой лунной террасе, все будет нормально. Но ей было бы спокойнее, если бы, едва проснувшись, она не стала вспоминать об этом.

Молча они прошли по коридорам, если она и чувствовала неловкость, то он был совершенно невозмутим. Как ни в чем не бывало проводил ее на третий этаж, в угловое помещение восточного крыла.

Она огляделась, чувствуя себя немного самозванкой в своем элегантном, хорошо обставленном, хотя без лишней роскоши, кабинете. Небольшая комната, рабочая обстановка и хорошее освещение. Мебель, скорее всего, из дерева дорогих пород, но без показной роскоши. Это она заметила с облегчением.

Внушительных размеров, красного дерева письменный стол стоял в центре. На нем много бумаг. В цветах отделки стен и потолка и убранстве вновь преобладали пастельные тона, отметила она, проходя мимо кресел с обивкой в восточном стиле. И здесь тоже свежие цветы — розовые розы в хрустальной севрской вазе, белые гвоздики в Веджвуде... Она вытащила из вазы один стебель с бутоном и повернулась к Риву.

— Итак, это мой рабочий кабинет. — Увидев толстую книгу в кожаном переплете на столе, она погладила обложку. Вероятно, это ее ежедневник, в котором записано, чем она занималась. — Что за работа была у меня?

В голосе была просьба, даже мольба.

Рив уже проделал определенную работу, пока Бри спала вчера после обеда, и просмотрел расписание ее деловых встреч, а также папки с документами, одну за другой. Там не было ничего нового, что помогло бы лучше узнать ее высочество принцессу Кордины. Просто женщина — Бри Биссет была ему гораздо интереснее.

Он провел час с ее секретарем и еще один с управляющим дворца. После этого образ принцессы стал сложнее, Бри Биссет его заинтриговала.

Он решил ей помочь, потому что она нуждалась в помощи, но все оказалось не так просто. Загадочное похищение было вызовом. Кажется, ее отец предоставил расследовать дело полицейским, а сам вернулся к своим обязанностям правителя Кордины. Едва ли князь Арманд играл с ним шахматную партию, отдавая ему роль офицера при королеве, но все могло быть. Что ж, он подыграет, хотя сам тоже не станет бездействовать.

Рив сразу понял, что королевский двор закрыт и непрозрачен и тщательно хранит свои тайны. Что ж, тем интереснее. Он должен сложить вместе кусочки мозаики, чтобы возродить картину похищения, но вначале надо попытаться восстановить саму Габриелу, помочь ей адаптироваться в жизни, которую она забыла.

Описанные ею свои впечатления о членах собственного семейства, а также наблюдения и оценки были довольно точны, она была умна. Но как ей оценить саму себя? Может быть, она не хочет вспоминать или боится того, что узнает? Рив задумался — как бы он себя почувствовал, проснувшись однажды утром и обнаружив, что ничего не помнит? Нет прошлого, нет родственных связей, друзей, да и самого тебя, по сути, нет. От этого можно впасть в полный ступор. Он отбросил эту мысль, потому что начал сразу жалеть принцессу. Но чем больше он испытывал сочувствие к ней, понимал, как ей тяжело, тем труднее становилось его задание.

— Вы занимались несколькими проектами, — сказал он, подходя к столу. — Некоторые касались повседневных обязанностей. Некоторые требовали официальных встреч.

К ней вдруг вернулось воспоминание о том, что произошло между ними накануне вечером. Какое острое влечение она испытала. Это уже было в ее жизни? Испытывала она подобное? С другим мужчиной? Она постаралась забыть о поцелуе, это мешало сосредоточиться на той работе, которой она собиралась сегодня заняться.

— У меня были проекты? Кроме полирования ногтей?

— Вы с предубеждением относитесь к принцессе Габриеле, не так ли? — заметил Рив негромко и успокаивающим жестом накрыл рукой ее руку, лежавшую на кожаной обложке.

На несколько секунд оба замерли.

— Возможно, — наконец ответила она. — Надо узнать ее лучше. Ведь сейчас она для меня еще большая незнакомка, чем вы.

В нем снова шевельнулось сочувствие. Не надо отрицать очевидный факт — он переживает ее несчастье и уже относится к ней как к близкому человеку. Ее рука не дрожала, голос был тверд, но в глазах он снова заметил страх и растерянность. Он понял, что она нуждается в нем.

— Сядьте, Бри.

От явного сочувствия в его голосе она почувствовала замешательство, какая женщина не подчинится такому голосу. Она медленно убрала руку и села в одно из кресел.

— Хорошо. Урок номер один?

— Если угодно. — Он присел на краешек стола, сохраняя благоразумную дистанцию. Но так, чтобы хорошо видеть ее лицо. — Расскажите, что вы думаете о принцессах.

— Вы играете роль психоаналитика.

— Можете отвечать или нет. Как угодно.

Она решила ответить:

— Красивый принц, сказочные феи-крестные и хрустальные туфельки, — Габриела задумчиво дотронулась бутоном розы до щеки, устремив взгляд на пол, на полосы света на ковре, — лакеи в красивых ливреях, кареты с шелковой белой обивкой внутри, сверкающая корона, толпы людей приветствуют радостными криками появление в окне дворца. Она стоит, солнце слепит ей глаза. Она их не видит, но машет рукой, слышит в ответ громкие приветственные крики. Сильный аромат роз. Море людских голов внизу, мило, трогательно и красиво. — Габриела замолчала и уронила розу на колени.

— Вы это помните или разыгралось воображение?

— Я... — Как ему объяснить? Она помнила сильный аромат роз, слышала приветственные крики толпы. — Обрывки воспоминаний приходят и покидают меня. Они не задерживаются.

— Не старайтесь удержать их.

— Но я хочу...

— Знаю.

Тон был так невозмутим, что мог показаться безжалостным. Она подняла голову, в глазах ее была обида.

Рив решил, что пора ее мысли направить в другое русло. Взял ежедневник, но открывать пока не стал.

— Сейчас я напомню вам распорядок одного дня из жизни ее высочества Габриелы, принцессы Кордины.

— Откуда вы знаете? Вы еще не прочитали.

— Это моя работа — знать о вас все. Вы встаете в семь тридцать и завтракаете у себя. От восьми тридцати до девяти — встреча с управляющим.

— Regisseur, — произнеся это слово, она растерянно моргнула и нахмурилась, — во Франции его назвали бы так.

Рив промолчал. Она продолжала о чем-то сосредоточенно думать, пытаясь вспомнить, почему эта тема так близка ей.

— Вы с ним обговаривали меню на день. Если не было официального ужина, вы просто согласовывали основное блюдо на обед. Эти обязанности вы несли после смерти матери.

Она не почувствовала боли при упоминании о матери, ровным счетом ничего.

— Продолжайте.

— С девяти до десяти тридцати вы работаете здесь, в вашем кабинете со своим секретарем. Разбираете официальную корреспонденцию, диктуете ответы на письма, потом проверяете и лично их подписываете.

— Как давно она со мной работает? Эта Джанет Смитерс.

— Недавно. Меньше года. Ваша бывшая секретарь родила ребенка и уволилась.

— А у меня с ней... — она подбирала слова, — сложились нормальные отношения? Я была удовлетворена ее работой?

— Никто мне не говорил, что вы на нее жаловались.

Габриела только покачала головой. Как объяснить Риву, что она пытается узнать, были ли у нее подруги, потому что создается такое впечатление, что ее окружали одни мужчины. Очевидно, это придется выяснить самой.

— Прошу вас, продолжайте.

— Если время позволяет, вы читаете свою персональную корреспонденцию. Если нет, оставляете ее на вечер. Звучит скучновато, но таковы ваши обязанности.

— Что такое официальная корреспонденция?

— Вы являетесь президентом Организации помощи детям-инвалидам. Это сама большая благотворительная организация Кордины. А также представителем Международного Красного Креста. И в дополнение к этому, вы занимаетесь изящными искусствами. Ведете дела Центра изобразительных искусств, он открыт на деньги вашей матери. На вашу долю приходится переписка с женами министров, вы решаете, принимать или отклонять приглашения, устраивать и организовывать официальные приемы. Что касается вопросов государственных, это область вашего отца и брата Александра.

— То есть мои обязанности скорее женские.

Усмешка скользнула по лицу Рива.

— Я бы не стал спешить называть их таковыми после того, как просмотрел ваше расписание, Бри.

— Пока я знаю только об ответах на письма.

— Три раза в неделю вы посещаете Центр помощи детям-инвалидам. Вы восемнадцать месяцев выбивали из Национального совета увеличение бюджетных средств Центру изобразительных искусств. В прошлом году вы посетили пятнадцать стран по линии Красного Креста, провели десять дней в Эфиопии. Об этом написал большую статью журнал «Мир». Я вам предоставлю копию.

Она снова взяла розу, встала и начала расхаживать по кабинету.

— Но хорошо ли я справлялась с этими обязанностями? Была компетентна, знала, что делаю, или просто служила в качестве украшения?

Рив вытащил сигареты.

— И то и другое, все вместе. Молодая красивая принцесса привлекает внимание. Пресса, фонды, людской интерес всегда прикован к ней и ее делам. И умная женщина пользуется этим. Чтобы добиться своего. И по вашему дневнику...

— Вы читали мой дневник?

Он приподнял бровь, видя ее смущение и негодование. Ему стало смешно, ведь она не знает, что там нет никаких признаний.

— Вы просили вам помочь, — мягко напомнил он, — но я не могу этого сделать, пока не буду знать все. Впрочем, вы можете не волноваться, — он достал зажигалку и закурил, — вы очень осторожны в выражении своих личных переживаний.

Не стоило злиться на него. Надо привыкнуть к его манере и не обращать внимания. Он прав, ей нужна его помощь.

— Итак, на чем мы остановились?

— Из вашего дневника видно, что путешествия для вас утомительны. Хотя вы не в восторге от них, тем не менее почти каждый год предпринимали поездки, этого требовали обязанности и благотворительные цели. Вы работали много, Габриела, в этом могу вас заверить.

— Что ж, мне ничего не остается, как поверить вам на слово. — Она поставила розу обратно в вазу. — Начнем с того, что мне необходимо знать все имена и характеристики людей, с которыми я работала. Она села за стол и взяла ручку. — Сначала вы продиктуете мне, потом я займусь тем же самым с Джанет Смитерс. Сегодня у меня назначены встречи?

— В час дня в Центре помощи детям.

— Отлично. Перед этим мне надо многое узнать.

Перед тем как оставить Габриелу с секретарем, Рив дал ей пятьдесят имен с характеристиками. Было бы волшебством, если бы она все запомнила.

Если бы он мог, то поехал бы сейчас куда-нибудь в горы или к морю. Дворцы, какими бы ни были просторными, красивыми, восхищающими своей историей, все равно имели стены и крышу. Ему захотелось увидеть над головой просторное небо. Он мельком посмотрел в окно, поднимаясь на четвертый этаж в кабинет князя Арманда. Его тяготила работа полицейского — сплошная беготня и крючкотворство. Никак он не может от нее отделаться.

Он был немедленно принят. Арманд пил кофе. Кабинет его был в два раза больше кабинета Бри и гораздо роскошнее. Чувствовалось, что здесь работает мужчина. Потолок с лепниной и позолотой неплохо сочетался с вполне современными стульями и большим деловым столом из дуба. Арманд широко распахнул окна, так что и лучи солнца падали на красный ковер.

— Любэ только что ушел. — Князь обошелся без предисловий. — Ты видел газеты?

— Да. — Рив принял чашку кофе, но садиться не стал, потому что князь стоял. Он знал, когда можно пренебречь протоколом, а когда это непозволительно.

— Все пишут, что страна испытывает громадное облегчение, что ее высочество вернулась невредимой домой, но предлагают многочисленные версии о причинах похищения, как и следовало ожидать. И масса критики в адрес полицейского ведомства. — Князь пожал плечами. — Сам я не считаю, что полиция была беспомощна, но им придется еще поработать.

— И они это уже делают?

Их взгляды встретились.

— Полиция выполняет свой долг, как и мы с тобой. Ты виделся с Габриелой сегодня?

— Только что.

— Садись. — Князь махнул рукой на кресло. Рив сел и стал наблюдать, как князь расхаживает по кабинету, напоминая легкостью движений дочь. — Физически она крепнет день ото дня, но восстановление психики идет медленно. Не желает вспоминать. Как будто существует барьер, через который она не решается перешагнуть, что-то мешает. Но заниматься делами она будет, поскольку не собирается уклоняться от своих обязанностей.

Арманд не допил кофе и поставил чашку на стол. Он его уже слишком много выпил за сегодняшнее утро.

— Ты едешь с ней?

Рив сделал глоток. Кофе был горячим и крепким.

— Да, я еду с ней.

— Мне нелегко сейчас. — Арманд помолчал, борясь с нахлынувшими чувствами. Это были гнев, жалость, отчаяние. — Стоять в стороне и наблюдать, как моя дочь не узнает своих близких. Другое дело — ты. И хотя я сам пригласил тебя, но теперь ревную к дочери, потому что ты можешь проводить с ней все время, а я — нет. Потому что она доверяет тебе, а мне — нет.

— Доверие? Слишком сильно сказано. Она считает меня полезным в данный момент, и только. — Услышав невольно проскользнувшую в своем голосе досаду, Рив поспешно продолжил: — Я могу давать ей информацию о ней самой, не вызывая ненужных, болезненных эмоций. Она очень чувствительна, и, хотя переносит свое состояние как будто бы хорошо, внутренне она страдает. Потому что видит вашу любовь, но не может ответить тем же.

— О, она похожа темпераментом на мать. Если полюбит, то всей душой. Это настоящее сокровище — такая любовь. — Арманд сел за стол. Рив сразу почувствовал перемену, князь хотел сказать что-то важное. Он напряг внимание. — Знаешь, Беннет заявил, что я ставлю тебя в неловкое положение.

Рив сделал еще глоток кофе, внешне оставаясь спокойным, хотя понял, что разговор будет серьезным.

— Каким образом?

— Ты будешь находиться достаточно долгое время рядом с Габриелой, и на публике, и дома. Но она принцесса, и каждый ее шаг вызывает пристальный интерес, ее часто фотографируют, ее жизнь всегда на виду, ее обсуждают. — Князь взял со стола гладкий белый камень, удобно легший в руку. Этот камень нашла его жена однажды на берегу моря. Он продолжил: Думая в первую очередь о ее безопасности и скорейшем выздоровлении, я не учел, что неизбежно возникнут недоуменные вопросы о твоем постоянном присутствии рядом с ней.

— И какое место вы мне предназначили в ее жизни?

Арманд усмехнулся:

— С тобой легко, не надо притворяться и прикрываться недомолвками. Беннет очень молод, его любовные похождения обсуждают светские хроникеры всего мира, но с любопытством и снисходительным одобрением.

По голосу было трудно понять, нравится такая ситуация ему как отцу или нет. Испытывает он одобрение или досаду. Рив подумал, что это удел родителей. Он не раз видел такое выражение на лице собственного отца.

— Я здесь для безопасности ее высочества, — ответил он, — разве это кому-то неясно?

— Все не так просто. Я, правитель Кордины, нанимаю отставного американского копа охранять мою дочь. Это может восприниматься как оскорбление. Наши люди гордятся своей маленькой страной, боюсь, они не поймут.

Рив выпрямился.

— Вы хотите, чтобы я уехал?

— Нет.

— Но я не могу поменять свое гражданство, Арманд.

— Есть другой выход из положения. Можно сделать так, что ты будешь рядом с принцессой, не вызывая лишних толков и ничьей досады.

Рив ухмыльнулся:

— Как ее наставник?

— Ты снова облегчил мне задачу. — Князь изучал лицо сына своего друга. При других обстоятельствах он не возражал бы назвать его своим зятем. Еще до похищения он мечтал о замужестве Бри, знакомил ее с членами британского королевского дома, с аристократическими отпрысками Франции. Но и Макги имели безупречную репутацию и неплохое имя. Пожалуй, будь его воля, он бы не возражал, чтобы их союз стал реальностью. — Я вижу твою роль иначе. Я хочу оповестить, что вы с Габриелой помолвлены.

Он ждал реакции и не спускал глаз с Рива, который, однако, ничем не выдал своего изумления. Князь уважал людей, способных скрывать свои чувства.

— Если ты ее жених — это многое меняет. Ничья гордость не будет уязвлена, это уже внутреннее дело семьи.

— Но может возникнуть следующий вопрос — как я, пробыв всего несколько дней в Кордине, стал женихом ее высочества.

Арманд кивнул с довольным видом, ему явно понравился разумный, спокойный ответ Рива.

— Объяснением будет, во-первых, многолетняя дружба с твоим отцом, во-вторых, прошлогодняя поездка Бри в Штаты, там вы могли познакомиться и влюбиться друг в друга.

Рив вытащил сигарету из пачки, он почувствовал, что после услышанного она ему необходима.

— Но помолвки обычно ведут к браку, — осторожно заметил он.

— Когда они настоящие, — Арманд положил камень на место, — но ваша такой не будет. Когда в твоем присутствии необходимость отпадет, мы объявим, что вы с Габриелой передумали, как часто бывает у молодых людей, и помолвка будет расторгнута. Каждый вернется к своей личной жизни и пойдет своим путем. Пресса обожает мелодрамы, и никому не принесет вреда такой обман.

Рив про себя ухмыльнулся. *Принцесса и фермер.* Интересная игра предстоит, будет что вспомнить.

— Если даже я соглашусь, в этой игре участвуют двое, есть и другой игрок.

— Что касается Габриелы, она поступит так, как лучше и для нее самой, и для страны, — с убежденностью наделенного властью монарха сказал князь. — Поэтому решение только за тобой.

У нее опять нет выбора. Разве не об этом она недавно говорила с таким возмущением? Да, быть принцессой на самом деле — это не только хрустальные туфельки и красивая сверкающая корона. Рив задумчиво затянулся сигаретой и выпустил струю дыма. Он ей симпатизировал, нет, сочувствовал, но тем не менее придется сделать выбор и за нее.

— Понимаю вас. Я подыграю вам, Арманд, я согласен.

Князь поднялся.

— Я сам поговорю с Габриелой.

Рив подумал, что вряд ли она придет в восторг от плана отца. Не хотел бы он оказаться на ее месте, когда ей предъявят ультиматум, но в то же время хотелось, чтобы она приняла это, пусть с холодностью и злостью. Ему легче работать, когда она сохраняет дистанцию и злится на него, и, наоборот, потерянный вид и доверчивость выбивают из колеи, мешают беспристрастности.

Бри вышла из дворца ровно в час. Он застыл в немом восхищении. В дополнение к красной замшевой юбке на ней был такой же жакет, волосы свободно струились по спине, солнце золотило каштановые пряди. Подойдя, она взглянула на него, в глазах-топазах вспыхивали золотые искорки, и он подумал, что она не создана для затворничества в крепостных стенах замка, а принадлежит свету и небу.

Он поспешил к автомобилю и с поклоном открыл для нее дверцу. Она подарила ему долгий взгляд, полный ненависти.

— Вы вонзили мне нож в спину. — Она села на переднее сиденье и уставилась прямо перед собой.

Рив сел на место водителя. Что ж, он может подыграть ей, не обращать внимания или...

— Что-то не так, дорогая?

— Вы смеетесь? — Она повернулась и смерила его мрачным взглядом. — Как вы смеете...

Он взял ее руку и сжал, так как она пыталась ее вырвать.

— Габриела, некоторые вещи надо принимать легче.

— Но эта комедия! И еще ваше предательство. — Она вдруг перешла на быструю французскую речь, из которой он улавливал лишь некоторые слова, но смысл был понятен исходя из ее возмущенного тона. — Сначала мне пришлось принять вас как телохранителя, — она снова вернулась к английскому, — я вынуждена была все время терпеть ваше присутствие, вы буквально нависали надо мной и подавляли. А теперь это притворство с помолвкой, и все для чего? Для того чтобы жители Кордины не узнали, что отец нанял мне в телохранители американца, чужака, а не жителя Кордины и не француза. Только для того, чтобы я могла появляться на публике с вами без ущерба для своей репутации. — Она разгневанно, поистине королевским жестом вскинула руку. — Затронута моя репутация.

— Но есть еще и моя, — холодно заметил он.

Она надменно смерила его взглядом.

— Надеюсь, вы ее имеете. Но это меня не касается.

— Но для моей невесты она имеет значение. — Он завел двигатель и тронул автомобиль с места.

— Нелепая игра, и только.

— Согласен.

Бри открыла рот, чтобы вновь ему возразить, но передумала. После паузы, уже успокоившись, вдруг спросила:

—Так вы тоже находите нелепым — быть со мной помолвленным?

— Абсолютно.

Она почувствовала себя уязвленной.

— Почему это, позвольте вас спросить?

— Потому что мне несвойственно обручаться с женщиной, которой я почти не знаю. А тем более с женщиной с плохим характером, тщеславной и эгоистичной.

Бри порывисто открыла сумочку, вытащила темные очки и надела.

— Значит, вы довольны и счастливы, что это лишь притворство.

— Конечно.

Она со щелчком захлопнула сумочку.

— И тем лучше, что на короткий период.

Он не рискнул больше шутить и улыбаться. Нельзя рисковать дважды.

— Чем короче период игры, тем лучше.

— Сделаю все возможное, чтобы вас поскорее освободить!

Остаток пути они провели в молчании.

Бри хотелось, чтобы расстояние до центра было больше. Вымещая на Риве раздражение, она снимала стресс. Мысль, что скоро придется встретиться с людьми, которых она знала только по именам, страшила. Но придется сделать вид, что она их узнаёт.

Здание центра оказалось старинным и изысканным особняком, принадлежавшим когда-то ее прабабке, так сказала худощавая и исполнительная Джанет Смитерс.

Бри вышла из машины с присущей ей грацией, изящно и непринужденно, хотя у нее сводило от страха желудок. Пока шла к входу, мысленно рисовала в воображении внутренний план здания. Она не искала поддержки Рива, но когда он взял ее за руку, не возразила. Иногда лучше иметь рядом хоть кого-то, даже навязанного *жениха*.

Едва она ступила в прохладный белый холл, как сидевшая за стойкой женщина поспешно вышла навстречу и почтительно присела:

— Ваше высочество. Как рада видеть вас невредимой.

— Спасибо, Клаудия. — Некоторая заминка перед тем, как она произнесла имя, была такой мимолетной, что ее заметил только Рив. И то только потому, что ожидал этого.

— Мы не ждали вас сегодня, ваше высочество. После всего, что произошло... — Голос женщины дрогнул, а на глазах появились слезы.

Ее искреннее сочувствие тронуло Бри, и она протянула Клаудии обе руки.

— Со мной все хорошо, Клаудия. Я горю нетерпением снова приступить к работе. — От этой женщины исходила теплота, которой Бри не ощущала в присутствии Смитерс. Надо понять почему, а пока придется сдерживать эмоции. И она представила Рива:

— Это мистер Макги. Он побудет с нами. Клаудия работает в центре десять лет, Рив, — сказала она, хотя получила эту информацию от него самого сегодня утром. — Уверена, вы отлично справлялись с делами в мое отсутствие. Что-нибудь осталось для меня, Клаудия?

— Предстоит благотворительный ежегодный бал, ваше высочество. И как всегда, это мероприятие связано с трудностями.

Ежегодный благотворительный бал. Традиционное событие в Кордине, главное пополнение фонда центра. И она, как президент, должна его организовать, а как принцесса, быть на балу хозяйкой. Этот бал каждую весну привлекает в Кордину самых богатых, знаменитых и влиятельных людей.

— Какой же бал без хлопот. Я приступлю к работе немедленно. Пойдем, Рив, посмотрим, чем ты можешь быть полезен.

Бри направилась к лестнице. Они поднялись на второй этаж, потом прошли по коридору, где она остановилась перед второй дверью справа.

— Отлично сделано, — похвалил ее Рив, когда за ними закрылась дверь.

— Я надеялась...

Она не договорила, но он догадался. Она надеялась, что, войдя сюда, вспомнит, память подцепит что-нибудь из прошлого, и время начнет крутиться назад. Но этого опять не произошло.

Она подошла к окну и отдернула шторы. Комната не была столь элегантна, как ее кабинет во дворце. Ряд безликих металлических офисных шкафов занимал одну стену. Стол большой, из вишни, завален бумагами, папками и письмами. Она взяла одну из бумаг. Там ее рукой была сделана пометка о выделении денег фонда педиатрическому отделению больницы. Как странно видеть собственный почерк. Она не раз старательно выводила свою подпись, чтобы вспомнить ее. Почерк был крупный, с наклоном, чуть небрежный и в то же время очень решительный. Она отложила документ.

— Может быть, принести кофе? — предложил Рив.

— И к нему печенья или бутербродов. — Тон был отсутствующий, Бри уже начала вникать в бумаги и раскладывать их. — Она подняла голову. — Кстати, я пропустила ланч. После разговора с отцом была так зла, что не могла есть. Но мне нужно подкрепиться, прежде чем я это осилю.

— Гамбургер?

— Чизбургер, без лука, хорошо прожаренное мясо, — ответила она и сама улыбнулась тому, как привычно и легко это вырвалось.

Ей казалось, что она помнит, как сидит за этим столом, торопливо ест ланч, подписывая бумаги и делая телефонные звонки. И, ощутив прилив энтузиазма, она приступила к работе.

Оказывается, она неплохо справляется, с гордостью подумала Бри. Не исключено, что у нее к подобному виду деятельности талант. В течение двух часов она разгребла завал, просмотрев и рассортировав накопившиеся бумаги, составила список неотложных задач. Все шло естественно, как умение одеваться, как другие привычки. Наведя порядок в делах, она почувствовала, как поднимается настроение. Правда, уходя, она снова оставила свой стол неприбранным, но поняла, что и это привычка.

— Мне понравилось работать, — сказала она Риву, подходя к машине. — Вы будете смеяться, но я действительно увлеклась, не заметила, как пролетело время.

— Я не стану смеяться, — сказал он, садясь за руль, но не стал тут же трогаться с места. — Как полицейский, которому приходилось иметь дело с бумажной работой, утомительной и отнимавшей много времени, я вполне могу оценить ту скорость, с которой вы с ней управлись. Тем более в вашем случае, как я вижу, бумажная работа стоит того, чтобы с ней повозиться.

— Наш центр действительно помогает детям. Эта организация делает благое дело: поддерживает новое педиатрическое отделение в больнице, закупает современное оборудование. Все стоит денег, даже самое простое, без чего не обойтись, — кресла-каталки, одежда, белье. И мы их обеспечиваем. — Она взглянула на игру сапфиров и бриллиантов на своей руке. — Это примиряет меня с социальной несправедливостью, оправдывает мое происхождение и все то, что я получила при рождении.

— Вам это необходимо?

— Да. Потому что мне не надо, как другим, думать о том, как прокормить семью. Сейчас я это понимаю особенно остро.

— Сейчас, когда вы не помните себя?

— Я не знаю, что чувствовала до того, как потеряла память, что именно мною руководило, — она опустила глаза, глядя на свою сумочку, которую сжимала в руках, — я только знаю, что чувствую сейчас. Мне дали титул по рождению, но он имеет свою высокую цену.

— Вы быстро учитесь. — Рив завел двигатель.

— Приходится. — Бри чувствовала усталость, ей хотелось снять напряжение. — Рив, не могли бы мы не возвращаться сразу во дворец? Давайте куда-нибудь прокатимся, все равно куда, — предложила она.

Он прекрасно понимал ее, ему самому хотелось вырваться на волю, вдохнуть свежего воздуха на природе. Он направил машину в сторону моря.

Дорога шла вдоль дамбы. Не доезжая до порта, здесь можно было найти красивое местечко, чтобы полюбоваться морем. Вскоре Рив притормозил около нагромождения камней и небольшой группы деревьев, стволы которых наклонились под ветром с моря.

Бри вышла и огляделась. Она помнила запах и вкус моря. Но была ли она на этом месте раньше? Она направилась к старой надежной дамбе. Тоненькие нежные цветы пробивались из трещин в камнях к солнцу. Бри дотронулась до одного, но не стала срывать, он сразу же завянет. Не думая о замшевой юбке, уселась на парапет, глядя в море.

Оно было однотонного голубого цвета. Если бы дать морю свободу, вода вскоре затопила бы берега. Дамба предохраняла их от затопления, но не могла до конца укротить стихию. Вдали Бри видела лайнеры, корабли и большие грузовые суда на пути в порт или на выходе из него. Скользили яхты с туго натянутыми парусами. Она задумалась. Ей показалось, что она помнит, как руки натягивают канаты, как клонится параллельно воде ее тело, управляя судном. Скоро она сможет это проверить.

— Некоторые вещи мне кажутся привычными, например парусники.

— Вы выросли рядом с морем и, конечно, не могли остаться в стороне от парусного спорта.

Ветер трепал ее каштановые волосы, в них играли искорками солнечные блики, золотили пряди. Рив сел рядом, но не слишком близко.

— Мне кажется, я приезжала сюда, когда меня слишком утомляла работа и протокол. — Бри вздохнула и подставила лицо ветру. — Интересно, я чувствовала то же самое, что сейчас?

— Вы могли бы о многом спросить у вашего отца.

Она опустила голову на мгновение, потом взглянула на него, и он снова прочел в ее глазах растерянность, которую она тщательно пыталась скрыть. Она еще не была готова принять жизнь и только с ним могла откровенно говорить обо всем, что приходит в голову.

— Мне трудно это сделать, я ощущаю неловкость в его присутствии, потому что от него исходит такая любовь и нежность, что это тревожит меня. Мне мешает его напряженное ожидание...

— Что вы, наконец, вспомните?

Она молча смотрела вдаль.

— Бри, вы не хотите вспомнить?

Не глядя на него, она ответила:

— Какая-то часть меня отчаянно этого хочет, но другая ставит преграду и отталкивает воспоминания, гонит их, как будто они могут мне навредить. Ведь, вспомнив хорошее, я вспомню и все плохое?

— Но вы не из трусливого десятка.

— Не знаю, Рив. Я помню, что бежала ночью в дождь, помню, что бежала из последних сил, думая, что сейчас упаду и умру. И больше всего помню тот страх, который гнал меня, — я предпочитала умереть, чем быть схваченной. И не уверена, что та часть меня даст мне вспомнить.

Рив понимал ее, и это не давало ему покоя. Он отлично сознавал, что переживания ему ни к чему и, чтобы помочь ей, надо оставаться беспристрастным и невозмутимым.

— Когда желание станет слишком сильным, вы все вспомните. Это обязательно произойдет. А пока вам нужно окончательно окрепнуть физически.

— Но что-то внутри меня препятствует. В такие моменты, как сейчас, все кажется таким легким. Надо просто разрешить себе выпустить воспоминания на волю. И если я уже не такая, какой была, это не важно, никто этого не поймет, я сумею такой стать.

— Вы та же, что и были.

— Вы иногда мечтаете? Спрашиваете себя, кто вы такой? Например, сидя здесь, я могу вообразить, что живу в маленьком коттедже на холмах, с садом, и мой муж — простой фермер, и у меня есть уже ребенок, и моя жизнь проста и счастлива.

— А женщина в коттедже грезит о том, что она принцесса и живет во дворце. — Рив дотронулся до каштановой пряди, которую трепал ветер. — Жизнь полна загадок, Бри. Она никогда не бывает простой, но иногда — счастливой.

— О чем мечтаете вы?

Он намотал прядь на палец, потом отпустил.

— Работать на своей земле, ждать и наблюдать, как появляются всходы, быть подальше от города.

— У вас есть своя земля в Америке? Ферма?

— Есть.

Он подумал, что начать работу придется теперь только следующей весной. Этот год он пропустил, но уж следующий не пропустит. Ни за что.

— А я считала, что вы стали частным полицейским, вернее, детективом скорее для развлечения. Адреналин необходим в жизни.

Рив рассмеялся, не обижаясь.

— Люди думают, что моя работа — непрерывно красться по темным улицам, подвергаясь опасности, и забывают, что у полицейских полно еще бумажной волокиты.

— Но вы же повидали темные улицы и встречались лицом к лицу с опасностями.

Он бросил на нее взгляд, в котором она прочитала нечто такое, что заставило ее внутренне содрогнуться.

— Уверяю вас, я повидал много таких мест, о которых лучше забыть.

Она поняла его, потому что сама побывала *там* однажды.

Бри снова стала смотреть на море, оно успокаивало, мысли о темных сторонах жизни отступали. Сейчас не время и не место думать о плохом.

— Что вы там выращиваете на своей ферме?

Он представил, что его мечта осуществилась.

— Зерновые и яблоки.

Она внимательно посмотрела на него:

— И у вас есть свой дом в поле?

— Есть. Но требует ремонта.

— В доме есть веранда? И большое крытое крыльцо?

— Есть и крыльцо и веранда, довольно большая, а когда заменю несколько досок, на ней даже можно будет вполне безопасно посидеть.

— Так и вижу, как в теплые летние ночи вы сидите на веранде в кресле-качалке и смотрите на звезды.

Он убрал с ее лица прядь.

— Поверьте, все издали кажется привлекательнее.

— Так говорят, но кажется, мне было бы легче перенести пятьдесят недель публичной жизни на виду у всех, если бы я могла две недели провести на ферме, сидя по вечерам в кресле-качалке и слушая ветер. Итак, у вас есть дом и ферма, но нет жены. Почему?

— Странный вопрос к жениху.

— Вы уходите от ответа, чтобы мне досадить.

— Вы настойчивы, Бри. — Рив встал и протянул руку. — Нам пора ехать.

— Будет только справедливо, если я узнаю больше о вашей жизни, ведь вы все знаете о моей. Вы любили когда-нибудь? — Она подала ему руку.

— Нет.

— Я иногда пытаюсь вспомнить, была ли у меня любовь. Поэтому и просила вас меня поцеловать. Думала, что смогу что-то вспомнить.

Рив услышал в ее голосе вызов.

— И как, вспомнили? — спросил он серьезно.

— Нет, все было так, как будто меня целовали впервые.

Он не понял, была она искренней или дразнила его.

— Никого не вспомнили?

Бри уже поняла, что ведет опасную игру, что сама вызывает Рива на действия, о которых может пожалеть. Она не просто женщина, она принцесса.

— Никого, — повторила она. — Такое впечатление, что у меня никого не было, кто играл бы в моей жизни важную роль.

Он придвинулся, продолжая смотреть на нее тяжелым взглядом, но она не отстранялась, хотя понимала его намерения. Он был не из тех мужчин, с которыми можно рассчитывать на спокойные, тихие вечера. Его большие красивые руки, такие сильные и уверенные, заставляли чаще биться сердце. Так будет всегда, когда он будет рядом.

— Вы говорите как женщина, которая знает, что такое страсть.

— Но я не понимаю, кто я — ни взрослая, ни ребенок.

Он крепче сжал ее руку.

— Кому же это ведомо?

Ее губы были мягкими, но не замедлили откликнуться на поцелуй, как и тогда, на террасе. Он снова терял контроль. Да, да, жизнь сложная вещь, но бог мой, она бывает такой сладкой.

Она охотно прижималась к нему, и казалось, то обстоятельство, что они были сейчас одни, наедине с ветром и морем, усиливало их притяжение. Так они и стояли, тесно прижавшись, не разнимая губ. Его сильная, большая рука нежно касалась ее волос. Она откинула назад голову. Ее глаза-топазы, искушая и дразня, затягивали его, как два омута.

Она чувствовала, как рядом с ее бьющимся сердцем тяжело и часто бьется сердце сильного, сопротивлявшегося искушению мужчины. Солнце нестерпимо слепило глаза, и она прикрыла их, видя теперь лишь теплую красную полоску. От него исходила спокойная, уверенная сила, и Бри безошибочно чувствовала, что игра может оказаться опасной. Она словно ступала по узкому карнизу над пропастью. Это и страшило, и возбуждало, и волновало так, что захватывало дух. Замечательно! Она провела рукой по его спине, ощутив сильные напряженные мышцы. Безопасность, связанная с риском. Оба рискуют тем, что ситуация может выйти из-под контроля. Она ведет себя как простая смертная, захваченная страстью. Но разве королевские особы не должны склоняться перед страстью?

Она не сопротивлялась, не отстранялась, даже наоборот, сама провоцировала его на дальнейшие действия. Но Рив тоже понимал, насколько опасна ситуация. Надо было хорошенько подумать раньше — прежде чем он обнял ее тогда, в первый раз. Уже тогда он знал, что, дотронувшись до нее один раз, подвергает себя испытанию, потому что ему захочется делать это снова и снова. Ее запах, такой нежный и такой опасный, темный, как глубины моря, увлекал в пропасть.

Понимает ли она, что делает? Он не мог от нее оторваться. Глаза грешного ангела. Они сведут с ума любого. В его объятиях была возлюбленная. Не важно, кто она — принцесса, сказочное существо или женщина из плоти и крови, она охотно отвечала на его объятия. И ему предстоит сделать выбор.

Рив отстранил Бри резко, как тогда, ночью, на залитой лунным светом террасе. Она не открыла глаз, все еще находясь во власти момента. Когда же открыла, он прочел в ее взгляде понимание. Да, они заходят слишком далеко.

— Ваша семья станет беспокоиться, мы уже задержались.

Она сделала шаг назад.

— Нельзя забывать о долге. Обязательства — прежде всего, не так ли?

Он не ответил, и они пошли, держась рядом, к автомобилю.

Глава 5

— Бри, Бри, подожди минутку!

Габриела обернулась и, заслонив рукой глаза от солнца, увидела Беннета, за ним по пятам следовали два русских волкодава.

Его высочество принц Беннет выглядел как конюх: вытертые джинсы, заправленные в старые сапоги, ковбойка, на рукаве — грязное пятно. Когда он приблизился, она почувствовала запах лошадей и сена.

— Ты одна. — Улыбаясь, брат положил руку на голову одного пса, а другого взял за ошейник. Собаки были энергичны, как их хозяин. — Спокойно, Борис. — Пес рвался понюхать туфли Бри.

Борис и... Наташа, вспомнила она, перелистывая в памяти страницы имен и названий, которыми ее снабдил Рив. Даже собак надо было узнать. Их подарил Беннету русский посол, а принц, со свойственным ему озорством, назвал их в честь героев американских комиксов, где два тупых русских шпиона не могли обыграть мышонка и белку. Беннет едва сдерживал собак.

— Сегодня впервые вижу тебя утром в саду. — Бри улыбнулась Беннету. — Ты каталась верхом?

Она ездит верхом? Она стала припоминать, как сидеть в седле и как управлять лошадью. Каковы были ее впечатления от скачки?

— Сегодня у меня впервые не запланировано встреч на утро. А сам ты катался?

— Да, но рано утром. Потом поработал в конюшне. А где твоя *американская тень*? — Бри лишь приподняла бровь, и Беннет глуповато ухмыльнулся: — Так его Алекс прозвал. Вообще-то мне он нравится, да и Алексу тоже. Если бы Алекс не был таким напыщенным гордецом от сознания, что он наследник, то признался бы. Но ему трудно смириться с незнакомцем в доме.

— Но нас никто не спрашивал, прежде чем его позвать, верно?

— Ну, по правде говоря, он производит хорошее впечатление, — Беннет позволил Борису потереться об его ногу, не обращая внимания на прилипшую шерсть, — он не грубый солдафон, во всяком случае, я даже хотел спросить, где он одевается.

Ей стало смешно.

— Значит, главное, одежда, даже если сам человек не ко двору.

— У него есть вкус. — Беннет оттолкнул морду пса. — Тебя не утомляет его постоянное присутствие?

Утомляет ли ее Рив? Она сорвала кремово-белый цветок азалии. Уже неделя, как она вернулась во дворец. Неделя с тех пор, как она вернулась к жизни, которую не помнила. С этим чувством она просыпается и живет каждый день. Она привыкла, что Рив все время рядом, но тем не менее он не стал ей ближе, оставался незнакомцем. Впрочем, как и ее родные. И как она сама.

— Нет, только временами. — Она задумчиво устремила взгляд вдаль поверх роскошных цветников. — Беннет, я всегда была такой? Мне больше по душе свобода, когда хочется оказаться вдали от всех, просто свободно полежать на траве и посмотреть на небо в полном одиночестве.

— Именно поэтому ты и купила маленькую ферму.

Она повернулась, сдвинув брови:

— Ферму?

— Ну, по правде говоря, это, конечно, не ферма, просто клочок земли в несколько акров. Но ты грозилась там построить дом.

Ферма. Дом. Вот почему ей был интересен рассказ Рива о ферме.

— Это туда я направилась, когда меня...

— Да. — Собаки проявляли такое нетерпение, что Беннет отпустил их побегать, и они принялись тут же обнюхивать цветы, радостно крутя хвостами. — Меня не было дома, я учился в колледже. Мне придется через неделю вернуться в Оксфорд, папа настаивает.

По тону брата стало ясно, что его тяготит влияние отца. Но ничего не остается, как повиноваться, пока он еще не взрослый мужчина. Он на пороге самостоятельности, и его раздражает зависимое положение. Неожиданно ощутив теплое чувство к брату, Бри продела руку ему под локоть, и они пошли по саду.

— Беннет, как мы относились друг к другу?

— Что за глупый... — Он резко замолчал и наклонился погладить семенившего рядом пса. Плохо, что у него вырвалось неловкое слово. Он еще не умеет себя контролировать, как отец и старший брат. Он старается, но ему надо над собой работать. Бри его сестра, и она ждет ответа. — Да, мы были дружны. Знаешь, в нашем положении нелегко заводить друзей. А ты всегда была связующим звеном между отцом и мной.

— Каким образом?

— Скажем так, когда я попадал в сложные ситуации.

— И часто с тобой это случалось?

— Время от времени. — По его виду нельзя было сказать, что он испытывает угрызения совести в связи с этим.

— А я попадала?

— Ну, ты тоже правильная, как Алекс. — Беннет улыбнулся. — Меня всегда восхищало, как ты умеешь поступать по-своему, но не вызывать возмущения отца. А мне все еще поминают историю с французской певицей.

— О? — Бри с интересом посмотрела на брата и вдруг подумала: боже, да он прекрасен, как настоящий сказочный принц. Женщины без ума от него. — Как ее звали?

— Лили. — Беннет улыбнулся, и в улыбке проскользнула опытность мужчины. — Она очень талантлива. Пела в одном из клубов Парижа. Я там провел несколько недель прошлым летом, мы встречались.

— И у вас был потрясающий роман?

— Тогда казалось все легко. Но пресса просто взбесилась, каждую деталь смаковала, слухи росли как снежный ком. — Он снова улыбнулся, на этот раз иронично. — Она получила контракт студии звукозаписи и была очень благодарна.

— А ты скромно принял ее благодарность.

— Конечно. Но папа был в ярости. Он меня запер в Кордине, и, если бы не ты...

Бри порадовалась своим способностям, вспомнив непреклонный и властный взгляд отца.

— И как мне это удалось?

— Если бы я знал, как ты можешь его убеждать, я бы сам применил твою тактику.

— Кажется, я неплохо с этим справлялась. — Бри была довольна.

— Ты — лучшая. Папа часто говорит, что из всех детей ты обладаешь самым большим благоразумием.

— А Александр? Я хотела спросить, как ты с ним ладишь.

— С Алексом все нормально. — В тоне Беннета звучала верность братскому чувству. — Ему тоже нелегко, ведь пресса следит за каждым его шагом. Стоит ему дважды взглянуть на женщину, как поднимается шумиха. Тем более с его взрывным характером, который постоянно приходится сдерживать. Наследнику нельзя допускать промахов, даже домашние ссоры сразу становятся достоянием публики. Помнишь, как один французский граф напился за ужином?— Беннет спохватился: — О, прости.

— Не надо извинений. — Бри вздохнула, снова почувствовав внутреннее напряжение. — Тебе нелегко привыкнуть.

— Но, по крайней мере, я впервые думаю не только о себе. Знаешь, когда мне сообщили, а я в это время был в Оксфорде, то я так испугался, как никогда в жизни. Как будто меня ударили под дых. Мы все испугались. Но главное — ты вернулась.

Бри сложила руки на груди.

— Я так хочу все вспомнить. И тогда мы снова будем гулять в саду и вместе сможем посмеяться над тем французским графом, что выпил слишком много шампанского.

— Но пусть твоя память будет избирательна. Некоторые моменты лучше забыть. Например, как я подложил тебе червяков в постель.

Она посмотрела в невинно раскрытые глаза брата:

— О нет!

— Тебе это не понравилось. А няня так меня отчитала, что я на неделю притих.

— Детей надо учить.

— Детей? — Он ухмыльнулся. — Да это было в прошлом году! — И когда она рассмеялась, он вдруг прижался щекой к ее щеке. — Я так скучаю. Бри, вернись скорее.

Она пыталась понять, что чувствует.

— Я тоже.

Беннет понимал, что не надо спешить. Отстранившись, он весело как ни в чем не бывало сказал:

— Надо отвести собак, пока они не переломали цветы. Тебя проводить?

— Нет, я еще погуляю. У меня назначена на сегодня примерка нового платья для благотворительного бала. Это меня совсем не вдохновляет.

— Ты терпеть не можешь примерки. Я постараюсь уладить все в Оксфорде и вернуться к балу. Скоро с учебой будет покончено. Стану с тобой танцевать и разглядывать девиц, чтобы определить, какая достойна моего внимания.

Бри рассмеялась.

— Уверена, что ты обладаешь всем необходимым набором обольстителя.

— Стараюсь. Борис, Наташа. — Брат позвал собак и ушел, сопровождаемый по пятам волкодавами.

Ей нравился Беннет. И это чувство было приятно, хотя она не могла вспомнить те двадцать лет, которые они провели рядом, как брат и сестра, но зато ей нравился молодой человек, которого она только что видела перед собой.

Засунув руки в карманы удобных широких брюк, она продолжила прогулку. Аромат цветов не был слишком сильный, скорее приятный. Их цвета были подобраны так, что воспринимались как калейдоскоп. Гуляя по саду, она проверяла свои познания в растительном мире, примерно как проверяла память в галерее восточного крыла, где висели фамильные портреты и картины известных художников. Она не могла вспомнить, например, лицо матери, та могла бы показаться ей незнакомкой, если бы не их сильное сходство. От нее Бри унаследовала цвет глаз, волосы, овал лица, рот. Без сомнения, принцесса Кордины. Элизабет была гораздо красивее ее. Бри могла сравнивать себя с матерью, потому что там же висел ее собственный портрет. Принцесса Габриела была на нем моложе, лет двадцати. Ей шло темно-фиолетовое платье с пламенеющим алым поясом. Как она могла угадать цвета, чтобы они так удачно сочетались? Кто-то подсказал ей? Лицо матери на картине было так сказочно прекрасно, что невозможно было оторвать глаз. Кремово-белое платье и букет розовых роз делали ее образ возвышенно-поэтичным. Беннет тоже унаследовал ее красоту, как и озорной огонек в глазах, который придавал ему неизъяснимый шарм.

Алекс был похож на отца — военная выправка, непреклонность. Таким же он был и на портрете. Интересно, брат наслаждается ролью наследника или просто смирился со своим положением? Насколько она была близка с братьями, делилась ли с ними мечтами и стремлениями?

Она увидела под деревом увитый глицинией тент и под ним пару мягких кресел и мраморный столик. Это место внушало чувство покоя, как тогда на дамбе. Бри все еще быстро уставала. Она села в тени и с удовольствием вытянула ноги, вдыхая аромат цветов. Под ленивое жужжание пчел она незаметно задремала.

...Она испытывала странное оцепенение, не похожее на тот приятный покой и расслабление, за которым приезжала на свою маленькую ферму, с трудом выкраивая время из напряженного графика. Это время было настолько ценным, что спать не стоило. Поспать она могла бы и во дворце.

Она еще выпила кофе из термоса. Крепкого и сладкого, как любила. Солнце пригревало, жужжание пчел усыпляло. Пахло травой. Почему-то не хотелось побродить в роще, как она намеревалась. Хотелось закрыть глаза, немного подремать. Она прислонилась спиной к теплому камню и закрыла глаза.

И вдруг приятное тепло исчезло. Небо стало хмурым, как будто собиралась гроза. И резко похолодало. Вместо запаха травы — запах затхлости и пыли. Все тело болело. Она как будто потеряла способность что-либо чувствовать. Слышалась невнятная речь, но слова невозможно разобрать. Только навязчивое бормотание.

— Им придется обменять принцессу, у них нет выбора... — вдруг прорвалось сквозь невнятный шепот.

— Дороги перекрыты. Она проспит до утра. Надо ей добавить еще.

Ее сковал страх, парализующий волю. Она должна очнуться... Должна немедленно проснуться и...

— Бри!

Вздрогнув, она вскрикнула и чуть не упала со стула, но чьи-то руки удержали ее.

— Нет! — истерически закричала она. — Не трогайте меня!

— Тише. Спокойно, все хорошо. — Это был голос Рива. Сильные руки опустили ее сопротивляющееся тело на стул. Она была ледяная, глаза остекленели. Он быстро соображал, что делать. Если она не успокоится через пару минут, придется везти ее к доктору Франко. — Все в порядке, Бри, успокойтесь.

Она очнулась.

— Я думала... — Она огляделась в замешательстве, увидела сад, почувствовала снова аромат цветов, услышала жужжание пчел. Сердце стучало как сумасшедшее. Бри откинулась назад без сил и стала глубоко дышать, чтобы окончательно прийти в себя. — Мне приснился кошмар.

Рив внимательно смотрел на нее.

— Вы уснули, и я не стал бы вас тревожить, но вдруг вы стали биться и кричать.

Он отпустил ее и сел рядом. Они сидели в молчании под навесом, увитом глицинией. Он понаблюдал за ней минут пять, может, десять. Она снова выглядела умиротворенной, очевидно, стальная пружина, которая держала ее постоянно в напряжении, на время ослабла. Ему хотелось сидеть и смотреть на нее. Просто смотреть. Он уже не мог отрицать этого. Представил ее такой, какой увидел десять лет назад, — юной, уверенной в себе, невинной и уже тогда обладавшей несомненной чувственностью, которая привлекала мужское внимание.

Спустя десять лет, когда он обнимал ее, она отвечала со страстью взрослой женщины, наделенной тревожащей и такой влекущей сексуальной энергией, что заставляла его терять голову. И он хотел эту женщину, как никогда и никого, хотел ее целовать снова и снова.

Но это чувство лишало его объективности. А коп, если не объективен, больше не полицейский. Может быть, поэтому он и сдал свой значок тогда, потому что понял, что уже не может оставаться равнодушным и отстраненным. И захотел поменять жизнь. Он не рассчитывал, что в ней появится принцесса.

Рив наблюдал, как Габриела постепенно успокаивается.

— А теперь расскажите мне, — сказал он мягко.

— Мне даже не о чем говорить. Все так невнятно и непонятно.

— И тем не менее расскажите.

Он вытащил сигареты. В ее взгляде он прочитал возмущение от такой настойчивости и даже враждебность. Но это было лучше, чем вялое нежелание говорить.

— Мне казалось, что вы здесь находитесь как мой телохранитель, а не как психолог.

— У меня очень разнообразные способности. — Он закурил, глядя на нее поверх пламени зажигалки.

Она встала. Он заметил, что она редко долго сидит на месте, нетерпение гонит ее, словно она не может находиться в покое. Габриела сорвала веточку глицинии и провела по щеке, эту привычку он уже отметил.

— Я находилась в другом месте. Там тоже было тихо, высокая трава, я чувствовала сильный запах свежей травы. Меня тянуло в сон, но я совсем не хотела этого. Мне хотелось побыть одной, подумать, а не спать.

Она взглянула на него. Он слегка кивнул и откинулся на спинку стула.

— И я пила кофе, чтобы не уснуть.

Он насторожился, но не подал виду, только спросил небрежно:

— Где вы взяли кофе?

— Где? — Она нахмурилась, вопрос показался нелепым, ведь они говорят о ее кошмаре. — У меня был термос. Красный термос с ручкой на крышке. Но кофе не помог, я уснула. Солнце приятно пригревало, так же как здесь, жужжали пчелы. Потом... Пальцы у нее задрожали, и она поспешно спрятала руки в карманы. — Я очнулась. Было очень холодно и темно. Пахло пылью, я слышала голоса.

Рив пытался говорить спокойно, чтобы ее не спугнуть.

— Чьи?

— Я не могла разобрать. Просто голоса, очень невнятные. И страх. — Она обхватила себя руками. — Хотелось проснуться и прекратить кошмар.

— Кошмар? Или то, что происходило на самом деле?

Она уже окончательно пришла в себя. Глаза сверкнули.

— Откуда я знаю? Вы думаете, все так легко? Вспомнить, щелкнув пальцами? — Она ногой отшвырнула камешек. — Проклятье. Я только что гуляла с Беннетом по саду и думала, как он красив и как мил. Но ведь он мой брат, я не должна так думать.

— Но он действительно неотразим, Габриела.

— Не надо со мной говорить покровительственно. Не смейте.

Рив улыбнулся. Хотела она или нет, помнила себя или нет, в ней проявлялась королевская кровь. Это его одновременно восхищало и забавляло.

— На вас никто не оказывает давление.

— Но их доброта и ожидание меня угнетают. С вами по-другому.

— Не волнуйтесь. От меня не ждите сочувствия.

— Рассчитываю на это. Вы однажды назвали меня эгоистичной. Почему?

Он, не отдавая отчета, протянул руку и разгладил складочку на ее переносице.

— Скорее слишком погружены в себя. Но это понятно в вашей ситуации.

— Мне все равно не нравится. И еще вы сказали, чтобы я избалована. — Он убрал руку. — Но я не принимаю всерьез ваших слов.

— Жаль.

— Это все, что вы хотите сказать? Вы просите прощения за свои слова?

— Нет, мне жаль, что вы не хотите принять себя такой, какая вы есть.

— Вы человек грубый, Рив Макги, и вы слишком прямолинейны.

— Согласен. И еще я бы сказал, что вы обладаете сильной волей.

Она высокомерно подняла подбородок.

— Возможно, здесь вы правы, хотя не имеете права давать мне характеристики.

Он церемонно отвесил поклон. Раз она играет роль принцессы, придется подыграть ей.

— Простите меня, ваше высочество.

Габриела вспыхнула. Желание залепить ему пощечину было так велико, что она с трудом удержала руки в карманах.

— Теперь вы надо мной смеетесь.

— К списку можно добавить еще одну черту — проницательность.

Она поразилась, как легко ее можно вывести из себя. И, испытывая неловкость от вспышки гнева, попыталась вернуться к обычному тону:

— Послушайте, вам совсем не свойственна грубость, почему вы хотите оскорбить меня?

Она была неотразима в своем величественном надменном высокомерии. Неожиданно он сильно обхватил ее лицо ладонями, пытаясь удержать, хотя от неожиданности она застыла, не сопротивляясь.

— Потому что в эти моменты вы думаете обо мне, Габриела. И не суть важно, что именно — плохое или хорошее, главное, что ваши мысли заняты только мной. Разве вам безразлично, что я думаю о вас?

— Вы меня выводите из себя.

Он медленно улыбнулся, и от этой улыбки у нее пересохло в горле, она почувствовала, как загорелась кожа.

— Это не имеет значения. Главное, думайте обо мне, — повторил он, — я не стану осыпать вас розами, когда поведу к постели. И не будет скрипок за окном, и не будет шелковых простыней. *Только вы и я*.

Она была потрясена, ею овладело сильное возбуждение.

— Я считаю, что это вам нужен психоаналитик. Я, может быть, потеряла память, но точно знаю, что сама выбираю себе любовников.

— Я тоже.

У нее кружилась голова. Она была удивлена или напугана? То и другое. Опять кто-то принимал за нее решение. Ей просто не оставляют выбора.

— Держитесь от меня подальше, — сказала она тихо, пытаясь под деланым спокойствием спрятать страх.

Но он приподнял ее и с силой привлек к себе.

— Это приказ королевской особы?

— Как вам угодно, так и понимайте. — Она взглянула на него с поистине царственным презрением. — Вы должны спрашивать разрешения, прежде чем приблизиться ко мне. И вам ли не знать протокола, судя по вашему послужному списку.

— В Америке не следят так за протоколом, как в Европе, Бри. — Он приблизил губы к ее губам, но не делал попытки поцеловать. — Я хочу прикасаться к вам и буду это делать, я хочу вас, и вы станете моей рано или поздно. — Он больно сжал ее руку.

Она почувствовала дурноту, колени подогнулись, его лицо, поплыло у нее перед глазами.

Снова стало темно, лицо склонившееся над ней, было неразличимо. Но от человека сильно пахло алкоголем. Ужас охватил все ее существо, она стала отбиваться, стараясь ударить его.

— Не трогай меня! Не смей! — И по-французски: — Оставь меня, негодяй!

От неожиданности Рив выпустил ее, но вновь подхватил, когда она стала падать вперед. Проклиная себя, усадил на стул, уговаривая:

— Дышите глубже, успокойтесь. Простите меня, я не хотел причинить вам вреда.

Она пыталась прогнать дурноту. Выдернула руку, и он не стал удерживать. Он была бледна, а когда подняла голову, в глазах плескался ужас.

— Это вы... Но я видела только что другого человека. Я вспомнила. — Она закрыла глаза, припоминая. — Вдруг я оказалась в таком месте, где было темно, там был мужчина, от него пахло алкоголем, я не видела его лица, он схватил меня. Лица не помню. Я точно знала, что он собирается изнасиловать меня. Он был пьян. — Она схватила руку Рива. — Я чувствовала сильный запах вина, и даже сейчас помню его руки, большие и очень сильные, но он был так пьян, что мне удалось... — Она судорожно сглотнула, содрогнулась всем телом и отпустила его руку. — У меня был нож. Я не знаю, как он оказался у меня, но помню его рукоятку в своей руке. Наверное, я убила этого человека.

Она смотрела на свою бессильно лежавшую на коленях руку. Рука не дрожала. Она перевернула ее ладонью вверх. Ладонь была белой и гладкой.

— Мне кажется, что я зарезала его, и его кровь была на моих руках.

— Бри. — Рив хотел снова взять ее за руку, но передумал и решил иначе. — Расскажите, что еще помните.

Ее лицо сейчас было таким, каким он увидел ее в больнице. Бесцветное и напряженное.

— Я только помню борьбу и запах вина. Не знаю, убила ли я его. Ничего, что было до этой борьбы и после, не помню. — Она смотрела мимо него куда-то вдаль. — Если этот человек изнасиловал меня, я этого тоже не помню.

Рив проклинал себя за ту опасную игру, что затеял, хотя она дала результат.

— Вы не подверглись сексуальному насилию, — сказал он, стараясь говорить убежденно, — такое заключение вынесли врачи, которые осматривали вас.

Кажется, Габриела готова была разрыдаться от облегчения. Но сдержала слезы.

— Но могут они сказать, убила я его или нет?

— Нет. Только вы сами можете это сказать, когда вспомните.

Она неохотно посмотрела на него.

— Вы ведь убивали раньше?

Он зажег еще одну сигарету.

— Да.

— Но это была работа. Необходимость или оборона.

— Верно.

— И когда это случалось, оставались шрамы в душе?

Он мог солгать, чтобы ей стало легче. Ее глаза выражали тревогу, потемнели. Он вызвал в ее памяти страшные темные моменты. Он должен отвечать за то, что причинил ей страдания. Надо нести бремя ответственности. Он может солгать, но, когда она узнает правду, будет хуже.

— Да, это оставляет след. — Он встал и привычным уже жестом взял ее за руку. — Но можно жить с этими шрамами, Бри.

Она знала ответ. Еще до того, как он ответил, она знала.

— И много у вас таких шрамов?

— Достаточно. Но я решил начать новую жизнь, чтобы они не прибавлялись. Ведь можно и не вынести.

— И купили ферму.

— Да. — Он погасил сигарету. — И может быть, следующей весной удастся даже что-то там посадить.

— Я бы хотела ее увидеть.

Она заметила промелькнувшую на его лице довольную улыбку. Он тоже этого хотел.

— Конечно.

Она не отнимала руки, когда они шли через сад к белым стенам дворца.

Глава 6

Габриела в своем коротком шелковом халатике с покорным видом сидела на кровати, пока доктор Франко измерял ей давление. У него были добрые мягкие руки и отеческие манеры. Но она неохотно шла на эти еженедельные осмотры семейного доктора, как и на встречи с его коллегой, известным в ученом мире доктором Кижински, психиатром. Надо было признать, что она еще очень быстро утомлялась. Ее сеансы с доктором Кижински были просто беседами, и у нее иногда мелькала мысль, что это пустая трата времени, и ничего больше. Времени, которое было упущено, которое придется наверстать. Главным сейчас в ее жизни был ежегодный июньский благотворительный бал. Все надо было учесть и организовать — еду, напитки, музыку, декорации, развлечения, заявки, приглашения. Она находила в этом занятии удовольствие, хотя приготовления отнимали много сил. Каждый, кто вносил значительную сумму в благотворительный фонд, требовал к себе повышенного внимания, кстати, заслуженно, и самого лучшего приема. Сегодня утром Габриела провела три часа с флористом, чтобы добиться совершенства в убранстве помещения.

— Ваше давление в норме. — Доктор Франко спрятал аппарат в саквояж. — Пульс, цвет лица —

все прекрасно. Вы выглядите хорошо, единственное, что вызывает мое беспокойство, — ваша худоба. Не повредило бы набрать фунтов пять.

— Пять фунтов лишнего веса приведут моего портного в ужас, — Габриела улыбнулась, — я ему нравлюсь в моем теперешнем виде.

— Ба! — Доктор потер аккуратную белую бородку. — Ваш модельер ищет себе вешалку, на которую может набрасывать свои ткани. Надо нарастить немного мяса, моя дорогая. Твоя семья всегда имела склонность к излишней худобе. — Ты принимаешь витамины, которые я тебе прописал? — Незаметно доктор перешел на «ты».

— Каждое утро.

— Отлично. Отлично. — Он снял с шеи стетоскоп и тоже положил в саквояж. — Твой папа говорит, что ты не хочешь отступать от обычного расписания.

— Но я предпочитаю быть все время занятой! — задиристо воскликнула она.

— И так было всегда. Моя дорогая. — Доктор присел к ней на кровать, удивив ее этим, потому что обычно соблюдал правила этикета. Но он сделал это так естественно, что, очевидно, это было в порядке вещей между ними. — Ты поправляешься, и доктор Кижински тоже тобой доволен. Но я хотел бы узнать подробнее, как ты себя чувствуешь.

— Но, доктор Франко...

— Да, да я понимаю твое нетерпение. Надоели доктора. Все эти осмотры, вопросы, расспросы, бесконечные разговоры о самочувствии. Тебе хочется скорее от них избавиться и зажить привычной жизнью.

Она улыбнулась:

— Вы за меня все рассказали, доктор Франко. Вы всегда читаете мысли своих пациентов?

Но доктор остался серьезным, взгляд его был добрым и терпеливым.

Габриела ощутила укол совести и дотронулась до его руки.

— Простите меня. Я не хотела вас обидеть. Правда в том, что вокруг меня столько людей, которые все решают за меня и лучше меня.

— Тебе кажется, что мы упрощаем твою амнезию?

— Нет, — она покачала головой, — но мне кажется, что все стараются сделать вид, что это ерунда, ничего особенного, хотя мне ясно, как это важно не только для семьи, но и для политики.

Доктор расслышал невысказанное возмущение. Если бы она знала, через что прошел ее отец.

— Никто не старается преуменьшить серьезность положения, но надо понять тех, кто рядом: трудно ждать от них полного понимания и принятия действительности. Поэтому я хочу, чтобы ты говорила со мной обо всем, что тебя волнует.

— Но я не знаю, что еще сказать.

— Габриела, я принимал тебя, когда ты появилась на свет, лечил от детских болезней, я хорошо знаю тебя и понимаю, что ты боишься расстроить отца, поэтому отдаляешься.

— Беннет уехал в свой Оксфорд, — грустно сказала она.

— А он так хотел остаться со своими любимыми лошадьми и собаками, — улыбнулся доктор.

Габриела засмеялась.

— Мне с ним было легко, он очень открытый и спокойный, при нем не надо думать, что сказать.

Александр другой. Он такой... — Она пыталась подобрать точное слово. — Правильный.

— Принц Совершенство — это вы с Беннетом так его прозвали в детстве.

— Нехорошо.

— О, Александр мог постоять за себя. Он тоже дал прозвище Беннету — Мистер Лентяй.

Габриела невольно хихикнула и поджала под себя ноги.

— Вполне можно понять. Я помогала ему собирать вещи. Трудно поверить, что можно жить в таком свинарнике. А я, какое прозвище дали мне братья?

— Ваше Упрямство.

— О! — Она снова хихикнула. — Я его заслужила.

— Оно вполне соответствовало тебе. И сейчас тоже соответствует.

— Мне кажется, то есть я чувствую, что все мы были очень близки, что в семье были прекрасные доверительные отношения.

— Великолепные. Раз в году вы ездили в Цюрих всей семьей. Две недели — никаких слуг, никаких встреч. Чтобы потом легче было переносить жизнь на виду.

Она кивнула и спросила:

— Как умерла моя мать, доктор?

— Она была такая хрупкая, — осторожно сказал он, — поехала по делам Красного Креста в Париж и заболела пневмонией. Были серьезные осложнения, она так и не поправилась.

Бри пыталась понять, что чувствует. Ей так хотелось ощутить боль, горе, это было бы благословением, и... не чувствовала ничего. Она посмотрела на свои сложенные на коленях руки.

— Я ее любила?

Сострадание не числилось среди предметов докторского саквояжа, но оно было в его сердце.

— Она была центром семьи, ее якорем и сердцем. Ты очень любила ее, Габриела, очень.

Оставалось лишь верить в это.

— Она долго болела?

— Полгода. Несчастье еще больше сплотило семью.

Габриела в этом была уверена.

— Кажется, мы неохотно принимаем к себе людей со стороны.

Доктор Франко улыбнулся:

— О, это правда.

— Рив Макги. Вы хорошо знаете его?

— Американец? — Доктор пожал плечами. — Немного. Но ваш отец о нем высокого мнения.

— А вот Александр возмущен его вмешательством.

— Что вполне объяснимо и естественно. — Доктор был заинтригован таким поворотом разговора. Габриела еще не узнала своей семьи, то есть не вспомнила ее, но уже волнуется за нее, как это было всегда. — Принц Александр очень встревожен случившимся, поэтому не хочет, чтобы незнакомец был рядом с тобой. Он не полюбил бы любого чужака, ворвавшегося в очень замкнутый круг семьи. И еще эта помолвка... — Бри прищурилась, но доктор неправильно истолковал ее взгляд. — Я не сплетничаю. Но как доверенное лицо твоего отца я в курсе всего.

Она нетерпеливо встала и принялась нервно ходить по комнате.

— Вы согласны с мнением отца?

Доктор Франко поднял кустистую седую бровь.

— Я не могу оспаривать мнение князя Арманда, если дело не касается вопросов медицины. Тем не менее это обручение вызвало недовольство Александра, который хочет сам заботиться о тебе.

— А как насчет моих собственных чувств и переживаний? — Габриела снова кипела, не в силах сохранять спокойствие. Она повернулась к доктору, стоявшему теперь около кровати, заложив руки за спину. — Они учитываются? Это притворство, этот фарс. Что со мной все в порядке, что я закрутила скоропалительный до неприличия роман в Америке с сыном друга отца. Меня это приводит в ярость. — Она схватила перламутровый гребень с туалетного столика и стала нервно постукивать им по руке. — Объявление о моем обручении было сделано только вчера, а сегодня все газеты полны сплетнями, слухами. Куда бы я ни отправилась, — меня встречают вопросы, взгляды, перешептывания.

Ее нетерпеливый нрав был прекрасно известен семейному доктору. Поэтому он не делал попыток остановить Габриелу и ждал, когда она выговорится.

— Сегодня, когда я занималась работой по организации бала, меня спросили о свадебном платье. Оно будет белого цвета или цвета слоновой кости? Парикмахер местный или я поеду в Париж, как моя мать. Всех волнует мое свадебное платье, — гневно сказала она, — а еще когда будет готово меню для полутора тысяч гостей. Или где пройдет церемония — в дворцовой церкви или в кафедральном соборе? Будут ли на свадьбе мои друзья по колледжу? Выберу я английскую принцессу или французскую графиню в подружки невесты? А я их обеих абсолютно не помню. Чем больше и чем дольше мы пытаемся скрывать правду, тем абсурднее и сложнее становится ситуация.

— Но твой отец заботится о твоем благополучии и благополучии семьи.

— Разве нельзя их разделить? — Габриела швырнула гребень на столик и тут же извинилась: — Простите. Это несправедливо по отношению к вам. — Она взяла себя в руки. — Обман чреват дурными последствиями. Я вовлечена в него на всех уровнях, а Рив... — Она оборвала себя, недовольная, что ее мысли вернулись к нему.

— Очень красив, — закончил за нее доктор.

Она улыбнулась, внимательно изучая доброе лицо доктора.

— А вы прекрасный психолог, доктор Франко.

Он шутливо поклонился:

— Я хорошо знаю своих пациентов, ваше высочество.

— Да, он красив и очень привлекателен, — согласилась она. — Но своеобразен. Мне не нравится его стремление доминировать. Особенно в роли жениха. Но я стараюсь играть свою роль. Когда память ко мне вернется, американец отправится на свою ферму, а я смогу вернуться к прежней жизни. Вот что я чувствую, доктор. Впрочем, легко говорить о том, что я чувствую, но так трудно вспомнить. Я очень хочу вернуть свою жизнь.

— Ты обязательно все вспомнишь, Габриела.

— Вы уверены?

— Как врач, я ни в чем не могу быть уверенным. — Доктор наклонился, поднимая саквояж. — Но как человек, который знает тебя с колыбели, — да, я уверен.

— Я предпочитаю второе.

Она пошла за ним к двери.

— Не стоит меня провожать, — доктор по привычке потрепал ее ласково по спине, — я зайду к твоему отцу, доложу.

— Спасибо, доктор Франко.

119

— Габриела. — На пороге доктор обернулся. — Мы все немного притворяемся в этой жизни.

Ее кивок уже был величествен холоден.

— О да, я это поняла.

Она подождала, пока дверь закрылась, и вновь стала расхаживать по комнате, закипая от злости. Притворство. Да, приходится играть, притворство ей ненавистно. Она вытащила из мусорной корзинки скомканную газету.

«ПРИНЦЕССА ГАБРИЕЛА ВЫХОДИТ ЗАМУЖ».

Она выразила свое отношение к этому такими словами, которые принцессам произносить не полагается. Там были фотографии ее и Рива. Она встала у окна, разглядывая снимки. Да, он красив и очень привлекателен как мужчина, но на той грани, когда привлекательность соседствует с грубоватым натиском. Он напоминает хищника, который лениво расхаживает вокруг жертвы и выжидает удобного момента. Как он сказал? Он сам делает свой выбор. И это касалось не только ее.

Пресса, безусловно, довольна, что принцесса, наконец, выходит замуж. В истории Кордины она единственная принцесса, которая так долго медлила с замужеством. Подданные всегда испытывают собственнические чувства по отношению к королевским особам. Связь семейства Биссет и Макги была засчитана в пользу Рива, как и репутация его отца. И все-таки он был американец, а значит, по мнению жителей Кордины, не совсем идеальный вариант для их принцессы.

Из газетных материалов Габриела с удовлетворением узнала, что у нее был выбор: несколько блестящих партий. Ей было странно читать о себе, что в потенциальные мужья ей прочили с полдюжины мужчин, среди них принцы, лорды, маркизы, магнаты. Она вгляделась в снимки, снабженные историями ее отношений с каждым из претендентов. Ей вдруг показалось, что один из них значил для нее больше других. Но она не была уверена. В общем, их лица ничего ей не говорили. Она вернулась мысленно к Риву. По крайней мере, здесь все ясно.

Окончательное суждение о женихе отсутствовало. Говорилось, что он бывший полицейский и сын известного в мире дипломата. Далее следовали пересуды о предстоящей свадьбе.

Она бросила газету на кровать, так, что она упала снимками вверх. Надо признать, что отец достиг цели. Все сосредоточились на обручении и свадьбе принцессы, и никто не вспомнил о похищении. Вопроса, почему Рив постоянно находится во дворце, тоже никто не задавал. И никто не осмелится задать вопрос ей лично.

Она повернула руки ладонями вверх и внимательно стала их рассматривать. Было нечто такое, о чем она не могла сказать докторам. Но могла говорить об этом с Ривом.

Убила ли она? Взяла нож и... Боже, когда же она узнает правду?

Пытаясь вспомнить, она напрягала память. Но снова напрасно. Незачем заставлять себя вспоминать, все заканчивается отчаянием и такой усталостью, что трудно потом сосредоточиться на делах. Отрывки воспоминаний приходят неожиданно. Они похожи на сон, и так же, как сны, они с пробуждением исчезают. Каждое утро, проснувшись, она лежит и пытается вспомнить, но все без толку.

Надо работать, занять себя так, чтобы не было времени на отчаяние, но ей мешают эти глупые разговоры и фальшивые приготовления к свадьбе. Они отвлекают, не дают сосредоточиться на главном.

— Войдите, — откликнулась она на стук в дверь и нахмурилась, когда вошел Рив.

— Неужели я не могу иметь покоя в своей собственной спальне?

В комнате стоял стойкий аромат цветов. Цветы были повсюду — в вазе на столике у окна, на подставке около кровати, в открытые окна врывался ветерок, принося ароматы с садовых клумб.

— Доктор Франко говорит, что вы быстро поправляетесь.

Она затягивала время, усаживаясь в кресло у окна, чтобы подавить в себе раздражение.

— Он уже отчитывается и перед вами?

— Просто я был у вашего отца, когда доктор приходил.

Рив заметил газету со снимками, но ничего не сказал. Он ни за что бы не признался, что испытал неприятное чувство, увидев утром газеты. Одно дело — участвовать в игре, и другое — получить наглядную демонстрацию того, во что это вылилось.

Он подошел к туалетному столику, взял одну из красивых стеклянных баночек и принялся сосредоточенно разглядывать, чтобы прийти в себя от вида Габриелы в коротком шелковом кремовом халатике.

— Значит, вы чувствуете себя хорошо?

— Вполне, благодарю.

Холодный ответ заставил его улыбнуться. Не сдает позиций ни на дюйм. Тем лучше.

— Какие планы на завтра? — спросил он, хотя уже все узнал.

— Я занята до обеда. Потом свободное время до ужина с герцогом и герцогиней Мальборо и месье Любэ с супругой.

Было заметно, что этот ужин ее не вдохновлял. Рива тем более. Потому что это первый ужин, на котором они предстанут как жених и невеста.

— В таком случае, может быть, захотите поехать со мной прогулку по морю после обеда?

— Под парусом! — Она тут же опустила ресницы, притушив блеск глаз. И уже спокойно спросила: — Это приглашение или еще один способ меня укротить?

— Оба. — Он достал немного крема из баночки, растер в пальцах. Пахло ее кожей — приятно и сексуально. Перед сном и по утрам она втирает его в себя, и он становится ее частью.

Рив напомнил себе, что находится он здесь, чтобы защищать Габриелу, надо только не забывать об этом. Он закрыл баночку. Но кто защитит его самого?

Она молчала. Он поставил баночку на место и подошел к ней.

— Взвешиваете за и против, Бри? Но подумайте, я предлагаю побыть вне стен дворца и как можно дальше от ваших скучных обязанностей.

— Но с вами.

— Обрученные пары имеют обыкновение вместе проводить время. — Он удержал ее, когда она хотела вскочить. — Вы согласились, — сказал он жестко. — Так что следуйте правилам игры.

— Но это только для посторонних, на публике.

— Женщина вашего ранга почти не имеет шансов на уединение. К тому же, — он коснулся ее, —

не забывайте, что я тоже положил свою жизнь под микроскоп.

— Хотите услышать от меня слова благодарности? Но я сейчас не в настроении.

— Это не обязательно, достаточно просто согласия. Официально мы помолвлены и влюблены друг друга.

— Вот именно — *официально*. Это временно.

— Нет ничего временного, что не могло бы стать постоянным. И раз мы заговорили...

Он полез в карман, достал маленькую бархатную коробочку, открыл, и оттуда брызнул разноцветными искрами крупный белый квадратный бриллиант.

Сердце у нее вдруг заколотилось.

— О нет...

— Слишком традиционно? — Он вынул кольцо и повернул, ловя солнечные лучи. Камень переливался чистым алмазным блеском. — Оно подходит вам. Строгий дизайн, камень достаточно элегантный и готов вспыхнуть при благоприятных условиях. — Он отвел взгляд от камня и посмотрел на нее. — Дайте мне свою руку, Габриела.

Она не шелохнулась. Чувствуя, что выглядит глупо, упрямо сказала:

— Я не надену ваше кольцо.

Он взял ее за запястье и почувствовал сильное биение пульса. Солнце освещало и золотило ее волосы. Он увидел ее глаза. В них был гнев, но он все равно надел кольцо ей на палец.

— Что ж, я понял, наш роман не стоит на повестке дня.

Он накрыл ее руку своей, не давая снять кольцо немедленно, как бы скрепляя союз, не позволяя себе задуматься, как тяжело будет потом разорвать его.

— Я все равно его сниму, — ответила она с яростью в голосе.

Его голос стал вкрадчивым.

— Это было бы неблагоразумно.

— Все еще следуете инструкциям отца, — процедила она сквозь зубы.

— Мы оба им следуем. Но признаюсь, кольцо — только моя идея. — Он положил руку ей на затылок и наклонился. — Как и это. — И поцеловал, не давая времени опомниться.

Она замерла, но через мгновение ее губы ответили, и он стал найстойчивее. Одна рука прижимала ее голову, вторая держала ее руку. Но она уже не думала о сопротивлении. Огонь охватил все тело, как будто Рив покрывал его поцелуями. Она понимала, что он предлагает — страсть, настоящую, необузданную, всепоглощающую, без всяких условностей. Она даст ей полное освобождение, удовлетворение, погасит пламя, сжигающее ее изнутри. Она получит все это, если примет его предложение.

Только поцелуй уже не удовлетворял обоих. Бри преображалась при его прикосновении. А он не знал другой женщины, способной так мгновенно вспыхивать, и, чувствуя ответный призыв, хотел большего. Он осторожно провел пальцем по ее нежной шее, услышал слабый стон. Его желание было так велико, что он рискнул. Рука переместилась на ее грудь. Он мог отодвинуть легкую ткань, шелк соскользнет, и она предстанет обнаженной. Но Рив сознательно не убирал этот последний барьер, потому что знал — его благоразумие тут же улетучится.

Когда он займется с ней любовью, это будет не во дворце, никого не должно быть поблизости: ни слуг, ни домашних, кто может побеспокоить их в любой момент. Когда они будут любить друг друга, они будут только вдвоем. Только он и она. И она никогда не забудет потом этого. Как и его.

Он последний раз властно провел по ее груди, обтянутой шелком, сверху вниз. В этом было все — страсть, обещание, даже угроза. Он и сам не знал, что преобладало. Когда он отпустил ее, оба некоторое мгновение приходили в себя. Она видела в его глазах страсть, желание. Но не только. Голубые глаза говорили, что ей нелегко будет от него вырваться ни сегодня, ни потом.

Она отстранилась.

— Вы не имели права.

Он так долго смотрел ей в глаза, что ее охватила дрожь. Потом улыбнулся.

— Мне не требуется разрешения. — И по своей привычке ладонью обхватил ее щеку. — Я всегда сам решаю, как поступать с женщиной.

Но не стоило недооценивать силу характера Габриелы.

— Я скажу, если захочу, чтобы вы дотрагивались до меня, Рив.

Он не убрал руку.

— Это я уже слышал. Попробую другую тактику.

— Вы слишком далеко зашли в своей игре, принимая ее за реальность.

— Если вы ждете поклонов и приседаний, поищите кого-то другого. И помните вашу просьбу — не быть с вами добреньким.

— О, и вам не составляет труда это выполнять.

— Нисколько. — Он поднял ее руку, и бриллиант сверкнул на солнце. — Мы с вами понимаем, что это просто красивый камень, Бри. Еще одно притворство, — он перевернул руку и прижался губами к запястью, где бился пульс, — но ведь никто, кроме узкого круга, не знает этого.

Она резко поднялась.

— Я же сказала — я его не надену.

Но прежде чем она сняла кольцо, он оказался рядом.

— Нет. — И когда она замешкалась, заговорил вкрадчиво и убедительно, именно такой доверительный тон он применял когда-то на допросе подозреваемых, тех, что неохотно шли на признание: — Вам не нравится, но уговор есть уговор, мы заключили соглашение, не так ли? Вы его станете носить. Или предпочитаете каждый раз объяснять, почему, хотя вы обручены, у вас нет на пальце кольца?

— Могу ответить, что я равнодушна к бриллиантам.

Он усмехнулся, показывая на другую руку, где сверкали сапфиры и бриллианты:

— Кто же вам поверит?

Она оставила кольцо в покое.

— Будьте вы прокляты.

— Уже лучше, — кивнул он, — проклинайте меня сколько угодно и когда угодно. Главное — оказывайте содействие. И можете поверить, ваше высочество, мне весь этот театр так же активно не нравится, как и вам.

Он отвернулась, чтобы скрыть внезапное расстройство от этих слов.

— Разве? Мне казалось, вы просто в восторге.

— Да нет, пытаюсь извлекать из нашей сделки приятное. И вы можете делать то же самое, а не злиться по каждому поводу.

Она резко развернулась, глаза ее сверкнули.

— Но вспышки раздражения у меня бывают нечасто.

— Может быть, вы просто дурачите меня?

— Мне не нравится, когда вы делаете из меня избалованного ребенка, Рив.

Он ответил невозмутимо:

— Тогда не надо препятствовать и злиться, когда я стараюсь вас заставить чувствовать себя взрослой женщиной.

— У вас на все есть ответ?

Он думал о ней и о своем растущем чувстве к ней.

— Нет. Послушайте, Бри, ведь до этой помолвки у нас складывались неплохие отношения. Давайте не усложнять положение. Предлагаю перемирие.

Она подумала и решила, что перемирие ее устроит. Пока она не наберется сил.

— Предлагаете не усложнять. Поясните.

— С этим, — он снова поднял ее левую руку с бриллиантом, — вам не придется объяснять, почему мы проводим вместе время и что я делаю во дворце. Как жених и невеста, мы можем вместе выезжать и даже предпринимать путешествия. Люди снисходительны к влюбленным, когда те пытаются сбежать, чтобы уединиться. Вы не будете привязаны к дворцу.

— Я никогда не говорила, что меня это тяготит, и я не считаю себя привязанной.

— Но вы при любой возможности с тоской смотрите в окно.

Их глаза встретились. Она сдалась первая, вздохнула и села в кресло.

— Ладно, согласна. Иногда я чувствую себя взаперти, потому что хоть это и мой дом, я не знаю его, как не знаю ни отца, ни братьев, ничего. Я до конца не могу быть уверена ни в чем. И еще меня терзает сомнение, что могу сделать неверный шаг и снова случится несчастье. И еще эти сны... — Она замолчала, ругая себя, что наговорила много лишнего.

— Вы снова видели сны.

— Ничего определенного, что бы я запомнила.

— Бри! — Он не был так терпелив с ней, как доктор Франко, но зато понимал ее.

— Но это правда, я не помню. — Она запустила пальцы в волосы, бриллиант вспыхнул огнем. — Как всегда, одно и то же, но смутно, размыто, темнота, запахи. Шепот. Страх. Ничего не проясняется. — Она закрыла глаза. Так легко было дать волю слезам и предаться отчаянию. Но она не может и не должна себе позволить такой слабости. — Мне нечего скрывать. Каждое утро я надеюсь, что завеса поднимется, но каждую ночь... — Она пожала плечами.

Ему хотелось обнять ее и утешить. Но если он может предложить ей страсть, то утешение и сочувствие будут вредны.

— Завтра вы забудете обо всем, что вас тревожит. Мы идем на паруснике в море. Море, солнце и больше ничего. Там никого не будет. Кроме нас. И не для кого будет играть роль. Несколько часов без притворства.

Он предлагал ей поездку, подарок, возможно, и ему тоже это не повредит, хотя ситуация не тяготит его так, как ее. Она взглянула на кольцо, а потом на него. Он улыбнулся:

— Соглашайтесь.

— Согласна.

Глава 7

Она забыла, что такое полное чувство свободы, как много оно значит. И теперь обнаружить это было таким удовольствием, что даже появилась надежда, что, когда память вернется, ее воспоминания будут не хуже настоящего.

И еще она сразу поняла, что не новичок в парусном спорте, потому что чувствовала себя на воде увереннее, чем на суше. Было не только чувство полной свободы, но и гордость от своего умения управляться с парусами и канатами. Она была уверена, что, оставшись одна на этой маленькой яхте, справилась бы, потому что для этого обладала опытом, ловкостью и у нее уже было достаточно сил.

Слушая шум воды за кормой, когда судно, набирая скорость, понеслось в море, она понимала, что слышала этот звук раньше.

Зато Рив не сомневался в ее умениях с самого начала, он знал точно, что она обожала парусники. Ему повторяли это все ее родные. Идея прогулки на яхте пришла в голову, когда он заметил, что ее нервы напряжены, стресс нарастает, а депрессия усиливается. И хотя она просила его быть с ней жестче, становилось нелегко выполнять приказ принцессы.

Полагаясь на свой инстинкт, он доверил ей румпель и теперь смотрел, как она умело выполняет маневр. Сам Рив занялся парусами. Бри засмеялась счастливым смехом, когда в результате их умелых действий паруса наполнились ветром и судно на полной скорости понеслось вперед.

— Как замечательно! — крикнула она. — Я еще ни разу не чувствовала себя такой свободной!

Скорость и власть над судном, которой теперь она наслаждалась, так долго пробыв под чужой волей и властью, опьяняли. Габриела наслаждалась тем, что может контролировать сам процесс. Ловко и слаженно работая, они добились максимальной скорости и поддерживали ее.

Стены дворца, которые ей тяготили, постоянное напряжение — все исчезло. Осталось море, яркое солнце и пьянящее чувство свободы. Время не имело значения, и она могла не думать о нем. Придерживая румпель коленом, она стянула с себя рубашку, ее купальник-бикини бросал вызов скромности. Ей хотелось подставить теплым, ласковым лучам как можно больше обнаженного тела. Она вела судно, избегая встреч с другими яхтами, потому что сейчас уединение было как никогда ценным.

Несколько часов она посвятит только себе, будет не принцессой, а просто женщиной, которая счастлива тем, что ветер и солнце ласкают ее кожу. Она распустила волосы так, чтобы они свободно развевались за спиной.

— Мне кажется, я уже управляла этой яхтой.

— Она ваша, — сказал Рив, — ваш отец рассказывал, что, хотя Беннет мог обогнать любого, а Александр превзошел учителей, именно вы были лучше всех.

Габриела задумчиво потрогала гладкие перила из красного дерева.

— «Либерте», — повторила она название судна. — Кажется, я искала свободы не только на ферме, но и на воде.

Рив смотрел на нее сквозь светло-коричневые стекла очков. Она выглядела божественно, с золотистой кожей, совершенно неотразимая в бикини, и все же... Все равно чуть потерянной.

— Вы имели право на это.

Она неопределенно хмыкнула.

— Я думаю сейчас о том, а была ли я счастлива тогда? И это наводит на мысль — может быть, когда ко мне вернется память, я захочу оставить все, как сейчас, чтобы жизнь шла дальше своим ходом.

— Новое начало. — Он подумал о своей ферме и своем желании начать новую жизнь. Разница между ними в том, что он знал, на чем остановился перед этим.

— Я не говорю, что не хочу вспомнить прошлое.

Она наблюдала, как он стащил через голову рубашку и отбросил ее в сторону. Он выглядел таким естественным в на яхте, как, впрочем, и всегда. Его узкие плавки не смущали ее. Она уже не раз испытала близость его тела в тесном объятии. И помнила его — литое, с упругими мускулами, поджарое, без лишних накачанных мышц. Сильный, гибкий и... опасный. Но разве ей рано или поздно не придется столкнуться с опасностью лицом к лицу?

Она помнила его поцелуи и хотела вновь прижаться к нему. Разве обязательно испытывать стыд от этого желания? Оно естественно, и ее тянет к нему. Но осторожность не помешает.

— Я знаю так мало о тебе, — пробормотала она очень интимно, как будто про себя.

Он вынул из кармашка рубашки, лежавшей на скамье рядом, сигареты и, держа зажигалку в ладонях, прикрываясь от ветра, закурил. Выдохнув дым, посмотрел на нее:

— Что ты хотела бы знать?

Она некоторое мгновение изучала его, прежде чем ответить. Перед ней мужчина, который не только может постоять за себя, но и за других тоже. И он устанавливает свои правила игры. Но если ее не подводит интуиция, он жил тоже по правилам, установленным другими, и поэтому захотел сменить эту жизнь.

— Мой отец тебе доверяет.

Он кивнул и натянул веревку, поправляя парус.

— У него нет причин не доверять мне.

— Но он знает хорошо твоего отца, а не тебя.

Рив усмехнулся. Снова на его лице появилось самонадеянное высокомерное выражение, обычно прикрытое хорошим воспитанием. Но, к сожалению, именно это ее привлекало в нем больше всего.

— Ты не доверяешь мне, Габриела? — Он бросал вызов, и она знала, что он делает это нарочно.

— Всей своей жизнью, — просто сказала она. И снова повернула руль, чтобы ускорить бег яхты.

Ее ответ был для него таким неожиданным, что усмешка слетела с его лица и он на некоторое время потерял дар речи. В ее словах не было ни иронии, ни вызова. Она имела в виду именно то, что сказала. Ему должно было польстить такое доверие. И оно должно было упростить его задачу. Но почему он растерян и испытывает чувство неловкости? Даже некоторую враждебность. К кому? К ней, к себе?

Конечно, Габриела не могла знать, что в этот миг Рив вспомнил, как увидел ее впервые в госпитале, как сразу понял, что между ними не может быть легких отношений. Оба находились в сходной ситуации, когда резко поменялась их жизнь. По разным причинам. Он как раз только что дал обещание сделать свою жизнь простой и понятной и уже приступил к его исполнению, но тут раздался звонок из Кордины, после чего все снова запуталось и усложнилось.

Но он не мог тогда сказать *нет*. И не хотел. Почему? Может быть, потому, что Бри, когда он увидел ее в шестнадцать лет, с тех пор оставалась в его душе.

Рив приехал в Кордину и совсем запутался в своих чувствах к принцессе. Особенно после фиктивного обручения с ней. Его угнетала шумиха, поднятая вокруг них, ведь королевская свадьба всегда событие мирового масштаба. Уже три известных американских журнала просили его об интервью. Папарацци, как стая голодных терьеров, вцеплялась в них, стоило выйти из дворца.

Он мог отказать князю Арманду, обручение не входило в его договор. Но он не мог противиться ходу вещей. Почему? Потому что Бри уже стала важной частью в жизни, настолько, что он уже боялся задумываться над этим. Боялся, что это навсегда.

Быть рядом с ней, но не касаться ее было все равно что ходить по раскаленным углям. Желать невозможного.

— Вон там маленькая бухточка, — Габриела указала рукой в сторону берега, — кажется, оттуда красивый вид.

Они направили яхту к скале.

— Отсюда Кордина выглядит такой красивой. Розово-белой и сказочной, кажется, там никогда не может случиться ничего плохого.

— Но и в традиционных сказках всегда присутствует насилие.

— Пожалуй. — Она с улыбкой смотрела на дворец. Как он элегантен и как горделив. — Но Кордина, несмотря на то что выглядит сказочно, не является сказкой. Практичная американская демократия, наверное, находит смешными наши замки, этикет и формальности, балы и протоколы.

Рив тоже улыбнулся. Она не помнит своих предков, но ощущает инстинктивно, что ее корни здесь.

— Кординой правят разумно. Лебарр — один из лучших портов мира, хотя и сравнительно небольшой. Экономика, культура — все на высоком уровне.

— Да, я тоже делала уроки и изучала историю. И все же...

Бри облизнула верхнюю губу и обхватила колени руками. Теперь можно было просто сидеть и смотреть на воду, яхта уже не требовала управления.

— А ты знаешь, что женщины в Кордине не имели избирательного права вплоть до окончания Второй мировой? — сказала она. — И потом оно было дано как дар, а не как восстановление справедливости... А семейная жизнь устроена по средиземноморскому варианту — жена подчиняется, а муж верховодит.

— В теории или практически? — поинтересовался Рив.

— Насколько могу судить, именно практически. И власть может передаваться только наследнику по мужской линии.

Он слушал, глядя на море.

— Тебя это расстраивает?

Она странно на него посмотрела:

— Конечно. Хотя я не имею желания править страной, но мои права ущемлены, и закон несправедлив. Мой дед ввел обучение для женщин, отец пошел еще дальше, но все равно изменения происходят медленно.

— Но они неизбежны.

— Это ты практичен и терпелив по своей природе, но я — нет. — Она пожала плечами. — Я не вижу причин откладывать, если преобразований требует современность.

— Но надо еще принимать во внимание человеческий фактор.

— Люди часто привержены традициям и не хотят прогресса.

— Например, Любэ.

Бри одобрительно кивнула.

— Понимаю, почему мой отец так любит твое общество, Рив.

— Что тебе известно о Любэ?

— Я умею читать, — ответила она просто, — умею слушать. И у меня сложилось о нем представление — он очень консервативен. Пуританин. — Она встала и потянулась всем своим гибким телом. — Он прекрасный министр, но уж очень осторожен. Я прочитала в своем дневнике о том, что он пытался меня отговорить от тура по Африке в прошлом году. Считает, что это неправильно, когда женщина должна заниматься такими делами. А еще он не приветствует мои встречи с Национальным советом по поводу бюджета. — Она не могла скрыть разочарования. — Если такие, как Любэ, у власти, женщины всегда будут ограничены кухней и детьми.

— А я всегда думал, что эти обязанности надо нести поровну, добиваться благополучия совместными усилиями.

Габриела невольно улыбнулась.

— Не такой уж ты традиционалист. Твоя мать была выездным судьей. — Он бросил на нее удивленный взгляд. — Ну да, я тоже проделала домашнюю работу, ты в числе других тоже был объект моего изучения. Окончил университет с отличием. Мне было интересно узнать, что ты имеешь ученую степень по философии.

— Это просто рабочий инструмент в профессии, которую я выбрал.

— Согласна. После трех с половиной лет службы в полиции и нескольких наград за храбрость ты перешел на работу под прикрытием. Здесь твоя деятельность становится непрозрачной, но, по слухам, ты проник в преступную организацию, орудовавшую в округе Колумбия. Потом, по непроверенным сведениям, работал в службе безопасности сенатора. Мог иметь ранг капитана, но внезапно покинул службу.

— Ну вот, а говорила, что ничего обо мне не знаешь.

— И подтверждаю это несмотря на то, что только что сказала. — Она прошла на правый борт. — Жарко. Не хочешь поплавать? — И, не ожидая ответа, прыгнула с бортика в воду.

Она его заинтриговала, но он не мог понять — преднамеренно или нет. Решив подумать об этом позднее, он нырнул следом. Когда голова Бри показалась на поверхности, ее лицо облепили мокрые волосы, они потемнели и на солнце отсвечивали медью. Лишенное косметики чистое мокрое лицо было юным и прекрасным. Его овал и черты были мечтой фотографа. Идеальный и безупречный образ. И как любого мужчину, его влечет к идеалу. Мало того, он заинтригован и страстно хочет эту женщину. Но жизненный опыт говорит, что, если ты получаешь желаемое, жди последствий в виде расплаты. Потому что одно неотделимо от другого — если ты получаешь подарок от судьбы, придется потом за него заплатить, и пока неизвестно, какова будет его расплата. Каждое действие имеет последствие. Они плыли рядом, делая мерные гребки, без видимого усилия.

— Говорят, ты плаваешь в бассейне каждый день, — сказала она. — Ты сильный пловец?

— Надеюсь.

— Я присоединюсь к тебе. Я уже достаточно втянулась в работу, так что вполне могу позволить выделить час для себя. Рив, ты знаешь, что до главного бала года остается всего пара недель.

— Я был бы глухим, если бы не слышал. Об этом событии постоянно говорят и пишут.

— Ты понимаешь, — она повернула голову и мельком взглянула на кольцо, — что, как мой жених, ты вместе со мной должен открывать этот бал?

Он наблюдал, как ее волосы струятся по поверхности воды.

— И?..

— До этого мы сводили мероприятия к минимуму. Но на балу будет масса народу, пресса, официальные лица, гости, и тебе придется там выполнять обязанности хозяина. Придется окунуться в непривычную обстановку, ты будешь испытывать напряжение в течение всего вечера.

Рив поднырнул и очутился совсем близко.

— Ты сомневаешься, что я справлюсь?

Габриела засмеялась:

— Нет. Уверена, что прекрасно справишься. Недаром Арманд восхищается твоим умом, а Беннет твоим вкусом. Ему нравится, как ты одеваешься. Так что не требуется лучшего подтверждения и поддержки.

Ему стало весело.

— И?..

— Чем дольше мы будем вместе... Ты понимаешь, что, когда наша фиктивная помолвка будет расторгнута, тебе еще лет пять придется быть на виду?

Он перевернулся на спину и закрыл глаза.

— Не волнуйся за меня, Бри. Все будет в порядке.

— Но я волнуюсь, — настаивала она, — ведь, в конце концов, это я виновата, что тебе приходится и еще долго придется терпеть повышенное внимание к своей персоне. Это моя вина.

— Нет, — он был краток, — виной всему твои похитители.

Она задумалась. Он предлагал ей лазейку, удобную, чтобы не чувствовать груза ответственности, но она не знала, хочется ли ей принимать удобное объяснение.

— Я не спрашиваю, потому что знаю, что ты был хорошим полицейским и хорошим частным детективом, свидетельство тому твой послужной список и твоя биография. Скажи, ты был счастлив? Тебе приносила удовлетворение твоя работа?

Он молчал. Еще никто никогда не спрашивал, был ли он счастлив, да и себя он не спрашивал до определенного времени. Несколько минут он плыл рядом с ней, чувствуя опасную близость, но, уже не в силах побороть себя, продолжил осторожную игру.

— Ответ — да и нет. Наверное, я был счастлив. Занимался любимым делом, получая результат. И в полиции, и потом тоже, когда вел расследования. Во всяком случае, эту профессию я сам выбирал.

— Тогда почему ты не хочешь заняться расследованием моего дела? Оно не представляет профессионального интереса? А ведь это было похищение.

Он ждал этого вопроса.

— Я больше не полицейский, а как частный детектив не имею права работать у вас в стране без лицензии.

— Хорошо. Не будем углублять. Скажу только, что ты не только не можешь, но, кажется, не испытываешь желания разобраться в моем деле.

— Меня восхищает и одновременно раздражает твое упорство. Все время хочешь заставить меня принимать ситуацию так, как видишь ты.

Рив вел разговор машинально, потому что на самом деле его мысли были далеко от предмета спора. *Как бы коснуться ее волос, они наверняка мягкие и гладкие как шелк.* Он делал вид, что не понимает ее, потому что до сих пор не раскрывал своей тайны, что ведет по возможности собственное тайное расследование, выходя за рамки возложенных на него обязанностей. Он ставит вопросы, ищет ответы, заполняя пропуски, отлично понимая, что королева часто играет роль пешки.

— Вообще-то я думал об этом, — признался он, — но, пока твой отец не попросит об этом, я просто телохранитель.

Их ноги соприкоснулись в воде.

— А если попрошу я? Ты согласишься?

Он провел рукой по ее волосам, о чем так мечтал.

— Что ты ждешь от меня, Бри?

— Помощи. И отец, и месье Любэ меня оберегают, готовы превратить в кокон. Трясутся надо мной. Они держат меня в полном неведении.

— Хочешь, чтобы я узнавал и докладывал.

— Я бы сама хотела все разузнать, но мне не позволят, и потом у меня нет опыта. К тому же я не могу сделать и шага без того, чтобы ты не оказался рядом. — Она улыбнулась.

— Нашли мне еще одно применение, ваше высочество?

Она вопросительно подняла бровь, вид у нее стал надменным, что в данный момент выглядело смешно.

— Я не хотел тебя оскорбить. Я подумаю.

Обещание лучше отказа.

— Придется удовлетвориться этим ответом. — Габриела сделала несколько сильных гребков, достигла яхты, подтянулась и, когда оба оказались на палубе, спросила: — Что думаешь по поводу вина и холодного и цыпленка? Няня позаботилась об этом.

— Няня берет на себя обязанности кухонной прислуги, когда дело касается ее любимицы.

— О, для нее мы все еще дети.

— Я согласен. Не пропадать же еде.

— Снова американская практичность. — Габриела вытерла мокрые волосы полотенцем. — Тогда идем в каюту, поможешь мне. Я слышала, что там есть даже яблочные тарталетки. — На ее коже остались капельки воды.

Она скользнула вниз в каюту. Рив спустился следом за ней.

— А ты чувствуешь себя на судне как дома, — заметила Габриела.

— Я много плавал с отцом. В последние годы не было времени.

Она вынула вино из холодильника, взглянула на этикетку и одобрительно кивнула.

— Но ты близок со своим отцом?

Он огляделся в поисках штопора, нашел и взял бутылку у нее из рук.

— Да, я очень дружен с отцом.

— Он похож на моего отца?

Пробка вышла с легким хлопком. Габриела нашла бокалы.

— Такой же блестящий ум, уверенность?

— Ты таким видишь своего отца?

— Видимо. — Сдвинув задумчиво брови, Габриела следила, как Рив наливает вино в бокалы. Она знала, что отец любит ее. Он добрый, но сдержанный. Просто дела государства у него на первом месте. — Мужчины и должны быть такими. И ты такой.

Рив, ухмыльнувшись, коснулся бокалом ее бокала.

— Благородный, выдающийся, добрый?

— Сдержанный. — Она сделала глоток, глядя на него поверх края бокала, и спросила: — О чем ты думаешь, когда так смотришь на меня?

Вино было легким.

— Мне кажется, ты знаешь ответ.

— Не совсем. — Она отпила еще, надеясь, что он не поймет недомолвку как попытку скрыть трусость, и храбро добавила: — Я знаю, что ты хочешь заняться со мной любовью.

Солнце светило в каюту через открытую дверь, высвечивая прямоугольник на полу.

— Верно, хочу.

— И я спрашиваю почему. — Она держала бокал в ладонях. — Ты с каждой женщиной хочешь спать, если находишься рядом?

Он видел, что на этот раз она его не дразнит. Вопрос прозвучал вполне серьезно. И ответ был так же бесхитростен:

— Нет.

Она натянуто улыбнулась, чувствуя, что очень волнуется, но продолжала спрашивать. Она не знала, не помнила, как проходит предварительная игра, пыталась угадать.

— Тогда — с каждой второй?

— Если она отвечает определенным требованиям.

— И какие они?

Он снова, по уже установившейся привычке, взял в ладони ее лицо и заглянул в глаза.

— Если, едва проснувшись, я сразу думаю о ней. Прежде чем вспомню, какой сегодня день.

Она стиснула бокал, руки стали влажными, но не дрожали.

— Ты думаешь обо мне, когда просыпаешься?

— Хочешь от меня лестных слов, Габриела?

Он чувствовал, что она напряжена и застыла в ожидании.

— Я хочу понять. Не помня прошлого, я пытаюсь определить, чем вызвано мое состояние. Тем, что ты мне нравишься, или это следствие создавшееся обстановки, когда я все время остаюсь наедине с одним и тем же мужчиной.

— Что ж, сам напросился. — Он взял бокал из ее рук и спросил: — Так я нравлюсь тебе?

— Теперь ты напрашиваешься на комплименты.

Он улыбнулся, увидев ее ответную улыбку.

— Нет. — Он коснулся ее губ, глядя в ее широко открытые глаза. — Но ясно одно: мы оба хотим одного и того же.

— Возможно. — Она положила руки ему на плечи. — И может быть, сегодня, сейчас настал момент, чтобы нам определить, в конце концов, так ли это.

Это был как раз случай, о котором он мечтал, — вдали от дворца, от его давящих стен. Только тихий плеск волн о борта яхты, солнечные блики в небольшой каюте, словно сотканной сейчас из полос света и тени. Они были абсолютно одни. Но что будет потом, как он станет себя оправдывать, какие доводы приведет, когда они станут любовниками?

Она встала на цыпочки и сама поцеловала его. Он почувствовал, как его охватывает нежность и желание становится непреодолимым. Ведь это о ней он думает, едва проснувшись утром.

— Ты, кажется, колеблешься, — пробормотала Бри.

Ее тоже захватило нетерпеливое лихорадочное ожидание, предвкушение того, что должно произойти. Но она понимала, что Рив все же испытает сомнения, и его колебания только подхлестнули страсть. Она предпочитала видеть его именно таким, возможно, ее отвратила бы настойчивость и напористость, от которых она испытывала тревогу.

— Я пришла к тебе без прошлого, начинаю с чистого листа. Давай на время забудем о будущем. Пусть только «сейчас» и только «здесь», хоть на время, хоть на час, и потом все кончится.

Он мог дать что она просит. И больше не колебался. Надо принять все как есть, хотя понятно, что это короткий миг, но он лишь усиливает желание, страсть не может ждать. Они оба идут на это сознательно. Только сейчас, только здесь. И забыть о том, что будет потом.

Губы слились, тела переплелись, руки жадно исследуют друг друга. Она с неожиданной силой прижимает его к себе, он чувствует, как ее ногти впиваются в спину. Все исчезло — сомнения, логика, рассуждения о будущем и последствиях этого шага. От солнца, запаха моря и ее духов Рив терял голову. Он уже не противился тому, что должно произойти. Это судьба. Он увлек ее на узкую корабельную койку и лег сверху. Она почувствовала, как в обнаженную кожу впиваются узелки грубого вязаного шерстяного покрывала. Все было как он обещал — ни роз, ни шелковых простыней. Они ей были не нужны. Зачем ей приукрашенные иллюзии, она ищет и хочет правды в жизни, и только Рив может ей дать это. Оба торопили долгожданное путешествие в страну наслаждений, опасное и безумное, полное бесконтрольной страсти. Она уже не задавала себе вопроса, чувствовала ли раньше подобное. Открыв глаза, увидела только его лицо, такое близкое и чуть затененное. Он снова прильнул к ее губам, думая, что их сладость можно сравнить с розовыми лепестками, вобравшими тепло солнца. Поцелуй был горячим, как вино со специями, и опьяняющим, как только что открытое пенящееся шампанское. Чем дольше он длился, тем труднее было оторваться. Рив понимал теперь, что такое наваждение и одержимость женщиной.

Безупречное тело Бри напоминало статую, изваянную любовно большим мастером, но только из плоти и крови. Статуей можно восхищаться, молиться на нее, ласкать, проводя по восхитительным изгибам, но в его объятиях была настоящая женщина, которую он давно желал и которая желала его и становилась все нетерпеливее, она не хотела ждать.

Бри испытывала наслаждение от прикосновений Рива, но ей хотелось и самой давать ему такое же, касаться его так же, как делал он. Получив свободу и чувствуя, что в ней поднимается необузданное, не имеющее начала и конца первобытное чувство, она не собиралась ему противиться.

Бри жадно вдыхала острый запах мужского тела. Пробовала на вкус кожу Рива, ей хотелось обладать и властвовать над ним. Хотелось видеть свою бледную руку на его загорелой коже. Она осуществляла свои желания по мере того, как они овладевали ею. Она не сдерживала своих фантазий.

Дотронься до меня! Как будто услышав ее призыв, Рив расстегнул лиф бикини, от прикосновения его рук к обнаженной груди Бри затопила горячая волна счастья.

Губы последовали за руками, она выгнулась ему навстречу, у нее вырвался крик наслаждения, она

НОРА РОБЕРТС

не знала, можно ли испытать большее, но очень этого хотела.

Догадывался ли он раньше о ее чувственности? Но сейчас угадывал ее малейшие желания и следовал им. Ей страстно хотелось ответить и дать ему такое же наслаждение.

Ее рука спустилась вниз к узеньким плавкам, и вскоре это препятствие было устранено, ее рука наполнилась, он вздрогнул от прикосновения, она услышала ответные стоны, и последние следы сдержанности и благоразумия оставили его.

Разумеется, у него и раньше были женщины, он не первый раз занимался любовью, ему было знакомо ощущение своей мужской власти. Но почему он не испытывал такого раньше? Никогда еще ни одна женщина не завладевала им целиком. Он не мог больше думать, не слышал плеска волн, не видел солнца, мир исчез, осталась только Габриела. Обратного пути нет. Понимая невозможность отступления, он взял то, что хотел, и дал то, что хотела она.

Ее пальцы еще сильнее вцепились в его спину, он услышал легкий то ли вскрик, то ли всхлип, она на мгновение замерла под ним, но он не мог раздумывать, что это означает. Потому что она тут же присоединилась к ритму, сама задавала его, участвуя в дикой гонке за наслаждением, и неизвестно, кто из них одержал верх в этом состязании.

Они не знали, сколько времени прошло. Ей казалось, несколько мгновений. Их влажные тела все еще оставалась переплетенными, сердца стучали в унисон, одно около другого. Она была скорее ошеломлена и, слушая его неровное дыхание около своего уха, подумала, что никогда уже не будет прежней.

Солнце, как и раньше, вливалось в распахнутую дверь каюты. Она слышала плеск волн и чувствовала легкое покачивание яхты. Но была уже не той Габриелой, которая недавно спустилась сюда. И никогда не будет. Невинность утрачена — она была уверена, что лишилась ее только что, хотя сама горячо хотела этого.

— Значит, не было никого другого, — пробормотала она, как будто думая вслух.

Он испытал потрясение от этих слов. Лежал не открывая глаз и ждал, когда волнение уйдет. Потом, приподняв голову, взглянул на нее, увидел близко глаза с отяжелевшими веками, матовый блеск кожи и понял, глядя на нее, что уже никогда не будет объективен к ее поступкам и словам и что это обстоятельство будет иметь свои последствия.

Его сердце принадлежало ей. Он считал раньше, что никогда не позволит ни одной женщине подчинить себя. И вдруг испугался, что сейчас она заговорит и случится непоправимое, и, чтобы предотвратить собственное унижение, делано небрежным тоном спросил:

— Ты хочешь, чтобы я просил прощения?

Она не знала, как реагировать на эти слова. Мужчины всегда чувствуют вину, когда лишают женщину невинности? Но наверное, не из страха ответственности, а скорее от чувства неловкости. Она не хотела показать, что эти слова причинили ей боль, и спокойно ответила:

— Нет, я не жду извинений. А ты?

Он удивился:

— Почему я?

— Потому что я желала этого и заставила тебя поступить по-моему.

Она хотела встать, но он удержал ее.

— Ты жалеешь, что сделала это?

Она чуть надменно ответила:

— С какой стати? Нет. А ты?

Бри первый раз отдалась мужчине, а он начал с того, что сморозил глупость. Разве она не заслужила откровенности? Он отбросил мысли о последствиях для себя. И ласково провел пальцами по ее щеке.

— Как я могу сожалеть, получив такой чудесный, божественно прекрасный дар? — Он поцеловал ее долгим, нежным поцелуем. — Какие могут быть сожаления, если, еще не остыв от твоих ласк, уже мечтаю о них снова?

Ее губы тронула довольная улыбка, и Рив, приподняв, прижал ее к себе.

На обратном пути в Кордину он снова начал думать, что предпринять, чтобы помочь ей. Но мысли возвращались к тому, что произошло между ними, и он отложил идеи и планы на потом.

А Бри впервые не чувствовала ни напряжения, ни беспокойства, ни тревоги. Только полный покой и расслабленность, приятное чувство от близости Рива. Она положила руку ему на грудь, сверкнул бриллиант, и она подумала, что он выглядит удивительно к месту. И одернула себя. Нет, не надо забывать, что кольцо — часть инсценировки. Впрочем, сейчас не стоит об этом думать. Закрыв глаза, она прижалась к Риву.

Кольцо было фикцией, но он был здесь, вполне реальный, теплый и близкий. И незаметно ее мысли унеслись в заоблачные выси, к несбыточным мечтам. Впереди неизвестность, но, пока он рядом, она счастлива, хотя продлится это недолго.

Глава 8

После морской прогулки и того, что произошло между ними, ничего не изменилось и не стало проще. Бри шла по широкому коридору, направляясь к бальной зале, чтобы проверить, все ли готово. Она не видела картин, многие из которых могли заставить настоящего ценителя замереть от восторга, не замечала антикварной мебели, которую веками любовно полировали. Она шла, глубоко задумавшись, ни на что не реагируя.

Как все сложно. Но разве Рив ей не говорил, что жизнь не бывает простой? И он оказался прав.

Прошла почти неделя после того, как она лежала с ним на узкой койке в каюте. После недолгого забытья они снова любили друг друга. Она остановилась около одного из больших окон. Они с Ривом теперь любовники? Но разве любовники не испытывают желание вновь и вновь быть вместе? Прошла неделя, а он был предупредителен, безукоризненно вежлив, даже по-своему добр, но избегал к ней прикасаться.

Она положила руки на подоконник и смотрела, как внизу проходила смена караула. Гвардейцы демонстрировали отлично отрепетированную, красивую церемонию. Глядя на них, Габриела думала, что будет с ней, когда он уедет.

Ей придется столкнуться с волной слухов, сплетнями, шума не избежать. Их обручение было главной новостью не только в Кордине и Европе, но даже в Соединенных Штатах. Ни один журнал не пропустил такого события.

Она пожала плечами: это не имеет значения. Слухи и шумиха проходят и забываются. Покрутила кольцо на пальце. Да, вся эта суета вокруг свадьбы не имеет значения, но Рив имеет.

Даже слишком. Если бы она понимала себя лучше, помнила свою жизнь, то была бы готова к тому, что с ней происходит? Ей приходится нелегко, она растеряна, потому что боится его потерять.

Любовь — это переживания, непростые ситуации, но в ее положении, когда в жизни столько белых пятен, столько условностей, столько ответственности, любовь больше пугает, чем радует.

Рив скоро вернется на свою ферму, надо помнить это. Вернется в свою страну, к своей прежней жизни. Она знала это с самого начала. Как и члены семьи, а также узкий круг доверенных лиц. Если он позовет ее с собой, как ей быть? Но этого не будет, не стоит и мечтать, надо смириться с грядущей потерей. Она просто эпизод, одно из любовных приключений, еще одна женщина. У нее так обострены чувства, потому что он — ее первый мужчина.

Ответственность. Она закрыла на мгновение глаза, пытаясь привести мысли в порядок. Надо думать об ответственности и перестать грезить наяву. Не будет роскошной свадьбы, белого платья и фаты, на которые сейчас мечтают получить заказ самые прославленные модельеры мира. Не будет огромного торта, скрещенных мечей. Только вежливое прощание и расставание навсегда. Она не имеет права желать другой судьбы. Не имеет сил, чтобы что-то изменить.

Габриела обернулась, почувствовав рядом чье-то присутствие. Неожиданно возникшая перед ней мужская фигура заставила ее испуганно прижаться спиной к подоконнику.

— Александр! Как ты меня напугал! — Она схватилась за сердце.

— Не хотел тебя тревожить. Ты выглядела такой... — брат едва не произнес «несчастной», — задумчивой.

— Я смотрела на караул. — Она улыбнулась ему той любезной вежливой улыбкой, которой улыбалась всем. Всем, кроме этого американца, Рива. Только, в отличие от Александра, сама этого не замечала. — Они такие красивые и такие ловкие, я невольно залюбовалась их движениями. Я направлялась в бальную залу, чтобы проверить, все ли готово. Так мало времени остается, и так много надо еще сделать.

— Бри, тебе обязательно говорить со мной так, как ты говоришь с посторонними?

Она открыла рот, чтобы возразить, и закрыла. Наверное, он прав.

— Прости, мне так неловко.

— Я бы предпочел, чтобы ты обращалась со мной так, как с Ривом.

Голос ее стал ледяным:

— Я уже извинялась и не стану делать этого дважды.

— Мне не нужны твои извинения. — Александр с решительным видом человека, который всегда знает, чего хочет, подошел ближе. Ему предстоит править страной, и надо к этому готовиться. — Все, что я прошу, — относиться к своим родным с таким же доверием, какое ты даришь чужаку.

Габриела устала чувствовать себя виноватой.

— Это совет или приказ? — В ее голосе вместо сожаления прозвучал вызов.

— Никто не смеет приказывать тебе, — ответил Александр излишне строго. — Никто не сможет тебе дать совет по этому поводу. Ты не терпишь ничьих советов, если бы это было не так, не пришлось бы призывать телохранителя со стороны.

— Рив не имеет отношения к нашему разговору.

— Разве? — Александр по старой привычке взял ее за руку. — Но тогда скажи, что происходит между вами?

— Это не твое дело, — отрезала Габриела.

— Проклятье, Бри, я твой брат.

— Так говорят. — Она не помнила себя от ярости и могла причинить ему боль. — И младше меня на несколько лет. Я не считаю, что должна советоваться и спрашивать, как мне поступать. Ни тебя, ни кого другого. Это мое личное дело.

— Я, может быть, и младше тебя, — процедил Александр сквозь зубы, — но я мужчина и знаю, что на уме у мужчины, когда он смотрит на женщину так, как смотрит на тебя американец.

— Перестань! Ты не должен называть его так. Если бы мне не нравилось, как Рив на меня смотрит, я бы прекратила это. Я сама способна позаботиться о себе.

— Если бы это было так, нам не пришлось бы пройти через муки ада несколько недель назад. — Он видел, как она побледнела, но уже не мог остановиться: — Тебя похитили, удерживали, потом ты была в больнице. Мы ждали, беспомощно, только молились. Ты можешь понять, через что пришлось нам пройти? Может быть, ты нас не помнишь, мы для тебя ничего не значим в настоящий момент. Но мы не можем чувствовать по-другому.

— А ты думаешь, мне нравится свое состояние? — Предательские слезы потекли по лицу, она не ожидала этого и не смогла предотвратить. — А ты знаешь, как тяжело пытаться вернуть прошлое? Ты загнал меня в угол, критикуешь, укоряешь, требуешь и оскорбляешь.

Гнев Александра мгновенно испарился, он почувствовал острую жалость к сестре. Вспомнил, как она стояла только что у окна, такая несчастная и такая задумчивая.

— Я всегда такой. Бри, ты часто говорила, что я собираюсь властвовать и поэтому практикуюсь на тебе и Беннете. Я люблю тебя. Я не могу перестать тебя любить.

— Ох, Алекс. — Она бросилась ему на шею, прижалась. Впервые она испытала порыв любви к нему. Он был такой высокий, такой надежный и такой правильный. Но она гордилась им сейчас. Ей, конечно, трудно, но и ему тоже нелегко. — Мы всегда так спорили с тобой?

— Всегда. — Он на мгновение прижал ее к себе и поцеловал в макушку. — Папа говорит, что это происходит потому, что мы оба думаем, что знаем все лучше всех.

— Ну, сейчас я этого не стану утверждать. — Она всхлипнула и отстранилась. — Прошу тебя, не надо ненавидеть Рива. Я тоже вначале возмущалась, но потом поняла, что он пожертвовал ради нас многим и должен заниматься нашими делами вместо того, чтобы спокойно жить у себя дома.

— Да я знаю, он поступил так по просьбе отца. Не обращай внимания, он мне даже нравится, поверь.

Она улыбнулась. Александр повторил слова Беннета.

— Я и не сомневалась.

— Я говорил так потому, что вообще против того, чтобы в семейные дела вмешивать людей со стороны. Любэ — необходимость, хотя мне не нравится, что он в курсе всех наших дел.

— Ты рассердишься, если я скажу, что предпочитаю опеку Рива, а не Любэ.

Александр ухмыльнулся. Но тут же стал серьезен.

— Я бы подумал, что ты сошла с ума, если бы предпочла Любэ.

— Ваши высочества. — Они обернулись. Джанет Смитерс аккуратно присела перед каждым. — Прошу прощения, принц Александр, принцесса Габриела, что прерываю вас.

Секретарь была в деловом костюме, элегантном, безукоризненном и все-таки какого-то унылого цвета, темные волосы забраны назад в тугой узел, тонкое лицо чуть тронуто косметикой. Ее произношение было тоже безукоризненным, без малейшего акцента. На Бри она наводила тоску, хотя была умна, исполнительна и совершенно невозмутима. В комнате, где находится несколько человек, ее никто не заметит. И возможно, эта неприметность заставляла Бри быть к ней из сострадания снисходительной.

— Я вам нужна, Джанет?

— Вам звонили, ваше высочество. Мисс Кристина Гамильтон.

— Мисс... — Она припоминала имя и что с ним связано.

— Ты училась с ней в колледже, — пришел на помощь Александр, положив руку сестре на плечо. Его вновь поразило, что он вынужден рассказывать ей о лучшей подруге. — Она американка, дочь строительного магната, — уточнил он.

— О да. Я ездила к ней в гости, в Хьюстон, и в прессе писали, что она обязательно будет на моей свадьбе главной подружкой невесты. — Габриела вспомнила портрет в газетах — высокая, очень красивая брюнетка, с гривой темных волос и ослепительной улыбкой. — Вы говорите, она звонила, Джанет? Оставила мне сообщение?

— Она просила отыскать вас, ваше высочество, — с бесстрастным видом доложила Джанет, — перезвонит лично вам в одиннадцать часов.

Бри взглянула на часы. У нее есть еще пятнадцать минут.

— Мне придется идти к себе, чтобы принять звонок. Вас не затруднит осмотреть бальную залу и отметить, что требует доработки? Вы можете за меня это сделать, Джанет?

— Разумеется, ваше высочество. — Снова присев в поклоне, секретарь отправилась выполнять поручение.

Когда она не могла его услышать, Александр заметил:

— Какая бесцветная женщина.

— Алекс, — укоризненно улыбнулась Бри, хотя была с ним согласна.

— Она, конечно, вполне справляется, и у нее отличные рекомендации. Но наверное, это очень скучно — терпеть постоянно ее присутствие, во всяком случае, на меня она наводит скуку.

Бри пожала плечами:

— Скажем так, ее вид не вдохновляет меня на подвиги. Но, вероятно, у меня были причины взять ее к себе?

— Ты сказала, что хочешь иметь помощницей женщину исполнительную, одинокую, ничем не примечательную, чтобы не повторилась история с Алисой. Когда ушла Алиса, предшественница Джанет, в связи с рождением ребенка, ты очень расстроилась, потому что была к ней привязана.

— Тогда мой выбор безупречен. Я пойду к себе, скоро позвонит *лучшая подруга*. — Габриела хотела быстро просмотреть данные о Кристине Гамильтон, освежить их в памяти. Но, прежде чем уйти, протянула руку Александру:

— Друзья?

Он взял руку и отвесил шутливый поклон:

— Друзья, но я все равно не спущу глаз с американца.

— Как угодно, — сказала она беспечно и пошла прочь по коридору. Он смотрел вслед сестре, пока та не скрылась за поворотом. Он все-таки должен поговорить с Ривом Макги.

Оказавшись у себя в комнате, Бри села в *любовное гнездышко*, кресло для двоих, с пачкой листов и принялась их просматривать. Это были списки, составленные Ривом и ее секретарем, где в алфавитном порядке, очень конкретно, были перечислены только самые нужные сведения о близких людях и не очень. Там были друзья из ее прежней жизни и ее собственные оценки тех, кого она забыла. А поскольку амнезия оставалась тщательно охраняемым секретом для всего мира, ей не следовало допускать промашек, которые вызовут недоумение. Кристина Гамильтон заняла целых две страницы. Лучшая подруга. Четыре года вместе в Сорбонне, в Париже. Закрыв глаза, Габриела пыталась представить Париж, и это, кажется, ей удалось. Перед ее внутренним взором предстали широкие прямые улицы, промытые дождем, много машин, очаровательные кварталы старинных домов, маленькие пыльные антикварные магазинчики, скверы, парки, цветочные клумбы. Но в этой картине Бри не видела Кристины Гамильтон.

Крис. Так ее называли. Она занималась искусствоведением. Сейчас у нее своя галерея в Хьюстоне. А еще у нее есть младшая сестра Ева, которую Крис обожала, но которая своими выходками приводила ее в отчаяние. Брови Бри удивленно приподнялись при виде списка мужчин, с которыми у Крис были романы. Впрочем, ни один из романов так и не привел к замужеству. В свои двадцать пять она оставалась независимой одинокой успешной бизнесвумен. Бри испытала мимолетное смутное чувство, похожее на зависть.

Интересно, были ли они соперницами? Факты, даты, сухие характеристики не позволяли ответить на этот вопрос. Как и на многие другие.

Зазвонил телефон, и она, держа листы в руке, встала и сняла трубку:

— Слушаю.

— Наконец-то ты смогла найти время для старой подруги, которая звонит тебе через Атлантику!

Ей сразу понравился голос. Теплый, немного ленивый, очаровательный, и Бри искренне пожалела, что не помнит Крис. После еле заметного колебания, повинуясь интуиции, она ответила шутливо:

— Разве тебе не известно, как бывают вечно заняты королевские особы?

Смех был ей наградой.

— Но ты прекрасно знаешь, что, если твоя корона становится для тебя слишком тяжела, ты можешь приехать в Хьюстон. Мне всегда пригодится лишняя пара рук в галерее. Ну, как ты, Бри? Скажи, наконец.

— Я... — Габриела вдруг испытала непреодолимое желание рассказать подруге все от начала до конца. Ее голос приносил облегчение, хотелось ему поверить все свои страхи и сомнения. Но она твердо помнила о своем долге и потому ответила: — О, со мной все в порядке.

— Это же я, твоя Крис. Ты что, забыла меня? Господи, Бри, когда я услышала об этом похищении... — настаивала Крис. — Я говорила с твоим отцом, хотела немедленно прилететь. Но он сказал, что пока не надо, что сейчас это тебе не поможет.

— Наверное, он говорил так потому, что мне нужно было прийти в себя. Я очень рада, что ты позвонила.

— Не стану расспрашивать тебя, дорогая. Наверное, лучше забыть об этом, чем скорее, тем лучше, и не вспоминать.

Бри засмеялась. Знала бы Крис, как она хочет вспомнить!

— Кажется, я этим и занимаюсь.

Крис помолчала, как будто была озадачена реакцией подруги, и вдруг выпалила:

— Я хочу знать, черт возьми, что происходит в «Камелоте»!

— А что происходит?

— Твой секретный скоропалительный роман, который вдруг перерос в помолвку. Ты всегда была скрытной, Бри, но я просто не могу поверить, что ты не обмолвилась бы ни словом об этом со мной, твоей самой близкой подругой. Почему я не слышала об этом Риве Макги?

— О, наверное, мне нечего было сказать. — Мелькнула горькая мысль, что она не лжет, это правда. — Все произошло так быстро. До появления Рива в прошлом месяце я и не думала о помолвке.

— Но что говорит твой отец?

Габриела порадовалась, что Крис сейчас ее не видит.

— Можно сказать, что он сам это все устроил.

— Бывший американский полицейский — в твоем духе, ты всегда говорила, что хочешь необычного.

— Искала и нашла.

— Я уж думала, ты никогда не решишься, ты всегда была слишком придирчива к мужчинам, хотя это очень благоразумно. Помнишь модель в классе профессора Дебара?

— Мужчину-модель? — рискнула Бри и была вновь вознаграждена веселым смехом.

— Ты бросила один взгляд на его идеальное сложение и заклеймила этот образчик мужского совершенства, назвав мелким и тщеславным авантюристом. Пока мы все, кроме тебя, несли восторженную чепуху, он выставил Сильвию на пятьдесят тысяч франков.

— Бедная Сильвия, — пробормотала Бри.

— Ну, она может это себе позволить. Но, Бри, я знаю, как ты занята, и поэтому перейду к делу — предлагаю пригласить меня и Еву в Кордину на несколько дней.

— Ты знаешь, что я тебе всегда рада, — ответила она машинально, лихорадочно размышляя, как выйдет из положения. — Конечно, я жду тебя на бал, а потом погостишь. Мечтаю об этом.

— Ты разрешаешь притащить с собой Еву? Она тут сводит отца с ума. Эта девчонка захотела стать актрисой.

— Вот как?

— Ты знаешь папу, он не перенесет этого. Ему хватит и одной дочери, которая вечно возится в галерее в забрызганном красками халате. Он мечтал, чтобы его дорогие девочки, по крайней мере хотя бы одна из них, стали работать в его бизнесе. Я думаю, полезно будет развести отца и сестру на тысячи миль друг от друга. Хотя бы на неделю. Если найдется пара лишних кроватей в твоем дворце...

— Мы всегда найдем раскладные.

— Знала, что можем на тебя рассчитывать. Мы прилетим накануне бала, я могу тебе помочь. Познакомишь меня со своим женихом. Кстати, Бри, каково это — влюбиться?

— Это... — Габриела взглянула на кольцо и вспомнила, как вспыхивает кровь от одного взгляда, прикосновения. — Это лишает покоя.

— А ты думаешь, дальше будет спокойнее? — рассмеялась Крис. — Береги себя, дорогая. Скоро увидимся.

— До скорой встречи, Крис.

Повесив трубку, Бри некоторое время сидела в задумчивости. Она справилась. Крис Гамильтон ничего не заподозрила. Но поддерживать веселый непринужденный разговор оказалось нелегко. Она вдруг с гневом отшвырнула листы, и они разлетелись по полу. В этот момент время раздался осторожный стук в дверь.

— Войдите.

— Простите меня, ваше высочество. — Это была Джанет, как всегда собранная и невозмутимая. — Вы, наверное, хотите узнать, что все в порядке — бальная зала готова, драпировки сменили. — Она оглядела усыпанный листами пол, но промолчала. — Вам позвонили, как обещали?

— Да. Да, я разговаривала с мисс Гамильтон. И можете доложить моему отцу, что она ничего не заподозрила.

Джанет сложила руки на груди.

— Простите, ваше высочество?

— Уж не хотите ли вы мне сказать, что не докладываете моему отцу обо мне? — Габриела дала волю своему гневу и отчаянию. — Я прекрасно чувствую ваше пристальное внимание к себе, Джанет.

— Но ваше самочувствие — это единственное, что нас всех беспокоит — заявила секретарша с невозмутимым видом, — и, если я вызвала ваше недовольство, простите меня.

— Мне неприятно, когда меня водят за нос, — резко перебила ее Габриела.

— Я все понимаю, ваше высочество, ваше состояние сейчас доставляет вам определенные трудности в общении.

— Вы не понимаете и не можете понимать, — она принялась нервно расхаживать по комнате, — вы ведь помните своего отца, братьев, сестер? Своих друзей?

— Ваше высочество. — Джанет осторожно шагнула ей навстречу, давая себе отчет, что сейчас надо как никогда держать себя в руках. — Возможно, нам этого не понять до конца, но все мы очень переживаем, и если я могу вам чем-то помочь...

— Нет. — Габриела обернулась. — Простите, Джанет. Я не имела права кричать на вас.

По лицу Джанет скользнула мимолетная улыбка.

— Но вам время от времени необходимо на кого-то кричать. Я подумала, что, может быть, разговор со старой подругой вызвал в памяти какие-то воспоминания.

— Ничего. Иногда мне кажется, это уже навсегда.

— Но доктора полны надежды, ваше высочество.

— Доктора. Кажется, я уже сыта ими по горло. — Она вздохнула и стала поправлять букет гардений в вазе. — Как я могу оставаться спокойной, когда вместо воспоминаний вижу какие-то неясные картины, как вспышки?

— Значит, у вас бывают прорывы памяти? — Джанет подошла ближе. И после секундного колебания участливо взяла принцессу за руку. — Перед вами возникают картины прошлого?

— Все неопределенно и смутно, как во сне.

Единственное, что она помнила четко, — рукоятка ножа в ее руке, но предпочитала забыть это навсегда, и сознание прятало это воспоминание в своих глубинах. Хотелось бы вместо этого вспомнить что-то приятное и легкое, то, что сознание не оттолкнет.

— Но ведь кусочки мозаики могут быть собраны воедино, не так ли, Джанет?

— Я не доктор, ваше высочество. Но, может быть, лучше принимать пока все как есть и не пытаться так напрягать себя?

— Вы предлагаете принять тот факт, что моя жизнь началась только месяц назад? — Габриела покачала головой: — Нет. Я не могу и не хочу. Я обязательно найду первый кусочек, с которого начнется восстановление всей моей прежней жизни.

А этажом выше Александр в своем просторном, выдержанном в строгих холодноватых тонах кабинете беседовал с Ривом. Наследник приготовился тщательно к этому разговору и теперь старался взвешивать слова, не поддаваясь присущей ему вспыльчивости.

— Я ценю, что уделили мне время, Рив.

— Не сомневаюсь, что у вас важная причина, Алекс.

— Самое важное для меня, как и для всех нас сейчас, — Габриела.

Рив наклонил голову, соглашаясь.

— Как и для меня.

Это был не совсем тот ответ, которого ожидал Александр.

— Я, разумеется, очень благодарен за ваше содействие, но чувствую, что мой отец слишком злоупотребляет старой дружбой с вашим отцом. Ваше положение становится все более деликатным.

Рив откинулся на спинку стула. Хотя между ними было десять лет разницы, он не считал Александра мальчишкой. Александр стал мужчиной раньше, чем его сверстники. Рив подумал немного, какой выбрать тон, и решил в пользу сдержанной агрессивности.

— Вы озабочены возможностью того, что я могу стать вашим шурином, Александр?

Если принц и разгневался, то не подал вида.

— Мы оба знаем, что за игра идет сейчас. И я тревожусь за Габриелу. Она очень ранима. Но мой отец захотел, чтобы именно вы находились к ней ближе всех, что только вы способны видеть и оценить, что с ней происходит.

— И вы боитесь, что я сделаю заключение и наблюдения в свою пользу и посоветую то, что будет не в интересах семьи.

— Я вижу, почему мой отец остановил выбор на вас, Рив, и восхищается вами. И понимаю, почему Бри вам доверяет.

— Бри, но не вы.

— Вначале — нет, но сейчас я вам доверяю. — Он говорил уверенно, наследник не мог допускать колебаний и нерешительности. Но сделал паузу, подбирая слова и стараясь найти верный подход. — Пока Бри в надежных руках и ей ничего не грозит. Пока. — Их взгляды скрестились. — Я сказал *пока*... Потому что теперь, кажется, надо наблюдать и за вами.

— Вполне откровенно. То есть вас я устраиваю как телохранитель принцессы, но вы озабочены возможностью возникновения между нами интимных отношений.

— Не скрою, я возражал, более того, я всячески сопротивлялся, не желая этого обручения.

— Я знаю, что и вы, и Любэ были солидарны и выражали свои сомнения по этому поводу.

— Не надо объединять меня с Любэ. — Александр улыбнулся. — Мой отец ценит таланты Любэ и его опыт министра, считая, что это компенсирует его некоторые *особенности*.

— Я знаю о его увечье. — Увидев огонек во взгляде Александра, Рив сделал паузу, затянулся сигаретой и выпустил струю дыма. — Что неудивительно, потому что истории наших семей известны каждому, Алекс. Мой отец тоже находился в автомобиле в тот момент, когда произошел несчастный случай, тридцать пять лет назад. Ваш отец сломал руку, мой получил легкое сотрясение, но Любэ, к несчастью, получил более серьезные травмы.

— Но этот случай не имеет никакой связи с положением Любэ. Он не поэтому занимает такой высокий пост.

— Уверен, что нет. Но князь более терпим к нему. Арманд был тогда за рулем, и угрызения совести, как это свойственно человеку, играют здесь свою роль. В любом случае наши семьи близки, всем известна дружба наших отцов в течение долгих лет. Поэтому новость об обручении меня и вашей сестры не вызвала ни недоумения, ни особенного удивления.

— А вы как приняли эту новость?

Риву следовало хорошенько подумать, прежде чем дать ответ.

— Алекс. Вы предпочитаете ответ, который вас устроит, или правду?

— Правду.

— Это было нелегко для меня — согласиться на фиктивное обручение с Габриелой. Пройти инсценировку с помолвкой, с кольцом и так далее. Нелегко, потому что я люблю ее.

Александр молчал. Потом протянул руку и погладил серебряную рамку фотографии на столе, с нее улыбалась сестра, такая очаровательная и веселая.

— И что вы намерены делать?

Рив приподнял бровь.

— Разве не прерогатива вашего отца задавать мне такой вопрос?

— Но вы ему не сказали.

— Нет. — Рив медленно погасил сигарету в пепельнице. — Я ничего не собираюсь предпринимать по этому поводу. Я отдаю себе отчет, какую ответственность взял на себя. И стараюсь держаться в рамках, когда дело касается вашей сестры.

— Ясно. — Александр взял ручку со стола и стал крутить ее. Он, наверное, все-таки ошибался по поводу Рива Макги. — А каковы чувства Бри?

— Чувства Бри — это чувства Бри. Сейчас ей не нужны осложнения, которых ей хватает в жизни. Как только память вернется, я ей буду не нужен.

— Даже так?

— Я реалист. Понимаю: то, что происходит между мной и Бри сейчас, скорее всего, изменится, когда она все вспомнит.

— Но вы тем не менее хотите помочь ей вернуть память?

— Ей необходимо это, — просто сказал Рив. — Она страдает.

Александр снова взглянул на портрет.

— Я знаю.

— Вы так считаете? А вам известно, что ее страдания вызваны прежде всего с тем, что она не помнит своих близких? Людей, которые ее так любят. Однажды ей вдруг показалось, что она вспомнила кое-что, обрывок из того, что с ней случилось, это вызвало у нее дикий страх, и память не вернулась. Она, возможно, сама блокирует ее, чтобы не вспомнить нечто ужасное. Знаете вы это?

— Нет, — Александр положил ручку, — она не доверяет мне свои переживания. И кажется, я знаю почему. И еще я понимаю, почему мой отец всецело вам доверяет. — Он смотрел на свои руки, вид у него был расстроенный. — Так ее посещают видения?

— Она вспоминает иногда темноту, голоса и страх.

Рив имел в виду рассказ Габриелы о ноже, но не стал говорить о нем Алексу. Это касается только Бри, и решать ей.

— Понимаю. Мне теперь стала более ясна картина. — Александр поднял голову, и они снова обменялись взглядами. — Вы правы, когда вас возмущает мой допрос, но я имею право спрашивать.

— Мы пришли к согласию в этом вопросе. — Рив встал, давая понять, что считает разговор оконченным. — Помните одно: я делаю все, что в моих силах, чтобы обеспечить безопасность вашей сестры.

Алекс тоже встал.

— Да, мы пришли к согласию в этом вопросе.

Поздно вечером Рив стоял под горячим душем, тугие струи воды успокаивали, снимали напряжение трудного дня. Сегодня он сопровождал Бри на прием, и там их засыпали вопросами о свадьбе. Когда, где и кто приглашен? Сколько будет гостей?

Им было трудно объяснить, почему приготовления к свадьбе откладываются. Особенно после этого приема, где они появились как жених и невеста.

Требовалось назначить фиктивную дату свадьбы. Но если все так пойдет и дальше, они скоро предстанут перед алтарем, только чтобы прекратить слухи и домыслы.

Это станет венцом глупости и обмана. Или нет? Жениться, чтобы прекратить разговоры. Но тогда ситуация будет еще сложнее, чем теперь.

Он сидел сегодня вместе с ней за ужином, смотрел на нее и думал, как он счастлив. Вспоминал, что произошло на яхте, на узкой койке маленькой каюты. Но с тех пор он всячески избегал оставаться с Бри наедине, что было нетрудно, потому что расписание принцессы было насыщенным и они все время проводили или в автомобиле, или на благотворительных мероприятиях. Он возил ее в представительство Красного Креста, в здание Комитета помощи детям. В музей. Но не планировал больше морских прогулок. Они не должны больше этого делать.

Рив вышел из душа, укрепившись в решимости, что поступает правильно. Кто же думал, что все случится именно так, что он полюбит ее и забудет о правилах и обязанностях? У него работа, на которую он сам согласился. У нее впереди другая жизнь. Без него. И как только это произойдет, все будет кончено. Именно так и должно случиться, и это правильно.

Обмотав талию полотенцем, он взял еще одно, чтобы вытереть волосы. Бри не для деревенского домика на холмах. А он не создан для дворцов. Все очень просто.

Он вышел из ванной. И сразу его решимость и логика улетучились. В комнате горел только нижний свет. Бри сидела в кресле под лампой, свет падал на ее плечи и на раскрытую книгу. Она волновалась, несмотря на решительный вид, и теперь, стараясь спрятать волнение, подняла на него глаза.

— Наверное, мне всегда нравился Стейнбек.

Она отложила книгу и встала. А он подумал, что она сейчас выглядит как невеста в этом своем белом длинном кружевном пеньюаре до щиколоток. Волосы были распущены по плечам, сквозь кружево просвечивала грудь. Он застыл, пораженный, и, лишь справившись с волнением, спросил:

— Ты зашла за книгой, чтобы почитать на ночь?

— Нет, — она подошла ближе, — ты ведь не приходишь ко мне, Рив, вот я и пришла сама. — Она взяла его за руку. Ее тон был искренним, она не хотела больше игры. — Ты не сможешь меня прогнать, потому что я не уйду.

Он и сам понимал, что не смог бы ее прогнать. Благоразумие покинуло его, то самое, которое должно было сейчас одержать верх.

— Снова хочешь властвовать, Габриела?

— Если понадобится. — Она подняла его руку к своему лицу. — Скажи, что ты не хочешь меня. Я, возможно, возненавижу тебя за это, но по крайней мере больше не поставлю себя в глупое положение.

Он знал, что должен сейчас солгать и эта ложь будет во спасение. Но вместо этого сказал:

— Я не могу солгать, хотя понимаю, что совершаю глупость.

Она улыбнулась и обвила его шею руками.

— Обними меня. Просто обними покрепче. — Ее щека прижалась к его плечу, как ей давно хотелось. — Я долго надеялась, что ты сделаешь первый шаг, ждала и чуть с ума не сошла от страха, когда кралась к тебе по коридору.

— Но послушай, это же безумие — ты в моей комнате после полуночи.

Она откинула назад голову и рассмеялась:

— Но я здесь. Поэтому не станем терять время.

Их поцелуй был долгожданный для обоих, они прильнули друг к другу. Она знала, что отдала бы все за ночь, проведенную с ним.

— Рив, — она посмотрела ему в глаза, — давай сегодня ночью не притворяться и не делать вида, что нам все равно. — Она прижала его руку к губам. — Ты мне нужен. Разве этого мало?

— Этого достаточно. — Он развязал ленты на пеньюаре. — Я хочу видеть тебя.

Окна были открыты, в них вливался из сада запах душистого горошка, он смешивался с нежным ароматом духов. Рив спустил с ее плеч пеньюар, и она вздрогнула, но не от легкого ветерка, обдувавшего обнаженную кожу, а от ожидания.

— Как ты хороша, Бри. — Он провел рукой по ее обнаженным плечам. — Каждый раз я как будто вижу тебя впервые, и меня переполняет восторг.

Он отвел назад ее волосы и долго смотрел на нее. Ее сердце учащенно билось. Потом поцеловал два раза нежным поцелуем. Она закрыла глаза, и он поцеловал веки. Он был полон нежности, которой не дал ей в тот первый раз. Тогда он боялся ошибки. А теперь она пришла сама, и он мог позволить себе сначала подарить ей всю нежность, на какую был способен.

Когда он поднял ее на руки, она открыла глаза, в них было удивление. Она не ждала от него такой романтики. Но он собирался и дальше удивлять ее. Ее ждало впереди много такого, чего она не знала и чего не могла предположить.

Они легли обнаженные рядом, но он не спешил. Взял ее руку и стал целовать пальцы один за другим. Страсть не вспыхнула, как тогда на яхте, она разгоралась медленно. Габриела чувствовала от его ласк сладкую муку ожидания развязки.

Вспоминая, как они отдавались друг другу на яхте, она не желала для себя ничего другого и думала, что повторится все снова. Но Рив был сегодня так нежен, что она охотно соглашалась сдерживать нетерпение и быть ведомой.

Он понимал, что до него она была невинна. Что он взял ее невинность. Но разве мог он противиться? И в результате не хотел больше думать о своей судьбе без нее. Возможно, когда их жизненные пути разойдутся и пройдет время, он по-настоящему поймет, что имел и что потерял, и будет горько страдать. Но сегодня, когда она рядом, прочь все мысли, пусть побеждает чувство. То, что произойдет сегодня ночью, никто из них не забудет, не сможет забыть.

Его восхищали ее бедра и ноги, стройные и сильные. Она вообще была сильной и выносливой, он знал это, потому что следовал за ней повсюду. Но ее кожа, ее тело были такими нежными, как будто она проводила все дни, занимаясь только собой, хотя не придавала большого значения роскоши.

Он, может быть, и любил ее за это. Впрочем, какое это имеет значение?

Она только вздохнула, когда его губы спустились от бедер ниже, к самым потайным уголкам ее тела, она и не догадывалась, что можно получать такое наслаждение. В глазах темнело, но на этот раз темнота не сопровождалась страхом. Ее переполняло желание слиться с ним, участвовать, давать ему то же наслаждение. Она слышала, как он несколько раз выдохнул ее имя, словно оно было музыкой, нежной, как пение ночной птицы. Легкий бриз ласкал кожу, но его дыхание, скользившее по ее телу, было теплее. Прохладные простыни стали жаркими от их разгоряченных тел. Ласки Рива становились все интимнее, ее пальцы вцепились в простыню, и она выгибалась навстречу ему, не понимая, что все громче повторяет его имя. Наслаждение, которое он давал, было мучительно сладостным, он не думал о себе, желая дать ей все и столько, сколько она может принять. Ее мысли, сначала лихорадочные и отрывочные, совсем исчезли, она растворилась в ощущении полного блаженства. Ей хотелось только одного — дать ему такое же наслаждение, и она достигала цели, слыша его стоны. А потом снова оказывалась во власти его ласк. Волны страсти накатывали одна за другой, и, когда она почувствовала, что больше не вынесет, он, наконец, взял ее со всей силой долго сдерживаемого желания и отдал все, на что был способен.

Глава 9

Она понимала, что нельзя оставаться в его комнате на ночь, но желание побыть вместе хотя бы несколько часов было непреодолимо. Лежать прижавшись, спать в его объятиях стоило тех сложностей, которые неизбежно возникнут утром, но сейчас не стоило думать об этом.

Первым проснулся Рив и разбудил ее. Занимался серенький рассвет, предвестник скорого восхода. Это было время, когда ночные птицы засыпают и просыпается жаворонок. Она почувствовала поцелуй, но не открыла глаз, только легко вздохнула и снова обняла его, не отпуская. Чуть вздрогнула, когда он легонько куснул мочку уха.

— Бри, пора, солнце встает.

— Мммм... Поцелуй меня.

Он повиновался и на этот раз разбудил ее окончательно. Когда ее глаза приоткрылись, он сказал:

— Слуги скоро начнут ходить туда-сюда, они не должны тебя здесь увидеть.

— Беспокоишься о своей репутации. — Она зевнула и обвила его руками за шею.

Он довольно ухмыльнулся и, положив руку на ее грудь, слегка сжал. У него было чувство, что они давно близки, что ему так приятно быть с ней. Но возникло ли оно только что, или раньше он его не замечал?

— Естественно.

Она намотала на палец прядь его волос.

— Да, я скомпрометировала тебя.

— Ну конечно, ведь это ты пришла ко мне, в конце концов. Как я мог отказать принцессе?

Она приподняла бровь:

— Очень мудро, — и облизнула верхнюю губу. — Если я прикажу тебе сейчас же, немедленно снова заняться со мной любовью...

— Я тебе на это скажу, чтобы ты убиралась из моей постели. — И поцеловал, заглушая протест. — Ваше королевское высочество.

— Очень хорошо, — величественно произнесла она и встала с постели. Потянулась, стоя перед ним обнаженная, не стесняясь наготы, отбросив назад волосы. Он подумал, что она сейчас напоминает не проснувшуюся Спящую красавицу, а женщину, уверенную в своей женской власти. — Раз ты так безжалостно меня выставил, в следующий раз придешь ко мне сам. — Она не спеша подобрала пеньюар, накинула на плечи и добавила надменно: — Если, конечно, не хочешь быть брошенным в темницу. Я слышала, там ужасно холодно и сыро.

Он смотрел, как она медленно, как будто затягивая время, продевает руку в рукав.

— Это шантаж?

— У меня нет совести, — заявила она. Надев, наконец, пеньюар, она нарочито медленно завязывала пояс.

Нет, Бри не Спящая красавица. Она желанная женщина и заслуживает больше чем просто обещание.

Рив сел на постели и запустил пальцы в волосы.

— Вчера у меня состоялся разговор с Александром, — сказал он.

Габриела на секунду замерла.

— О! И говорили вы обо мне.

— Да, мы говорили о тебе. И ты это знала.

— И что же?

— Оставь этот властный тон, Бри, ты же знаешь, он на меня не действует.

Она с ненужным старанием разглаживала пояс, пытаясь скрыть волнение.

— А что на тебя действует?

— Откровенность.

Она вздохнула:

— Ну хорошо. Да мы с Александром поговорили, а вернее, поспорили вчера. Не могу сказать, что идея поговорить с тобой мне понравилась.

— Но он беспокоится о тебе, так же как и я.

— И это все объясняет.

— Прости, Рив, я не хотела бы показаться неблагодарной. Поверь, у меня не было намерения ничего от тебя скрывать, но когда все вокруг, буквально каждый, включая Джанет, выражают заботу и тревогу за меня, у меня создается впечатление, что я всем за это обязана. — Она принялась расхаживать по комнате от окна до двери и обратно. — Сначала меня уговорили согласиться с планом Любэ, по которому надо было скрыть мою амнезию, чтобы не вызывать паники и чтобы расследование провести незаметно для преступников. Потом чтобы мы с тобой притворились, что обручены и собираемся пожениться. И видишь ли, такое положение вещей меня тревожит, и чем дальше, тем больше.

— Я понимаю.

Габриела перестала ходить, остановилась и взглянула на Рива.

— Сомневаюсь. Представь, все вокруг сочувствуют, переживают за тебя, но тут же выставляют свои требования, как мне себя вести.

— Но что ты предлагаешь?

Она покачала головой:

— Не знаю. О чем вы договорились с Александром?

— Он решил мне доверять. А ты что думаешь?

Она взглянула с удивлением, потом поняла, что этот вопрос вытекает из ее собственных слов.

— Ты прекрасно знаешь, что я тебе доверяю. Иначе сейчас меня бы здесь не было.

Он внезапно принял решение.

— Что у тебя запланировано на сегодня? Ты можешь освободиться от обязанностей?

— Да. Если хочешь. Куда поедем?

— На маленькую ферму. — Он подождал ее реакции, но, поскольку она молча ждала продолжения, пояснил: — Пришло время нам поработать вместе.

Она прикрыла глаза, постояла так, потом подошла к кровати, где он сидел.

— Спасибо, Рив.

От ее близости мысли сразу стали путаться, и он подумал, что, наверное, так теперь будет всегда.

— Не спеши благодарить, неизвестно, что произойдет и какие чувства у тебя могут возникнуть.

— Не важно. Я все равно буду тебе благодарна. — Она наклонилась и по-дружески поцеловала его. — Что бы из этого ни вышло.

Пока она по слабо освещенному коридору шла в свою комнату, впервые за много дней у нее появилась надежда и посветлело на душе. Ей предстоит день не обычных скучных дел, а может быть, наконец-то сегодня встретятся ее настоящее и прошлое. Возможно, что разгадка кроется на маленькой ферме и она ее найдет там с помощью Рива. Она открыла дверь спальни, предвкушая поездку и тихо напевая, подошла к окнам, чтобы раздернуть шторы.

— Явилась.

Бри встала как вкопанная.

— Няня.

Старая женщина выпрямилась в кресле и смотрела на Бри пристальным немигающим взглядом. Бри почувствовала, что неудержимо краснеет под этим взглядом.

— Ты и должна краснеть, юная леди, пробираясь в свою комнату с первыми лучами солнца.

— Ты здесь сидела всю ночь?

Няня постукивала согнутыми пальцами по ручке кресла. Она заметила перемену в Бри еще в тот день, когда та вернулась после прогулки на яхте. Она была стара, но оставалась женщиной.

— Скажи мне вот что. Ты, значит, взяла себе любовника. И как, ты довольна?

Бри вскинула гордо голову, не понимая, почему она должна защищаться и стыдиться.

— Да.

Няня видела ее растрепанные волосы, сияющие глаза. Все говорило о волшебной ночи любви.

— Так и должно было случиться, — пробормотала она, — ты влюбилась.

— О... — Габриела уже хотела все отрицать, но вдруг просто ответила: — Да, я влюблена.

— Тогда я скажу тебе вот что — поберегись. — Лицо няни в свете утра было пепельного цвета, усталое, но на нем жили молодые глаза, полные жизни. — Когда женщина любит своего любовника, она рискует многим. Не только телом, ты понимаешь?

Бри подошла и встала на колени рядом с няней.

— Понимаю. Почему ты просидела всю ночь в кресле, а не легла на мою кровать?

— Ты можешь иметь любовника, но я все равно забочусь о тебе, как в детстве. Я принесла тебе на ночь теплого молока, ты плохо спишь.

Бри заметила на столике чашку.

— И, увидев, что меня нет, забеспокоилась и стала ждать. — Она взяла старческую руку и прижала к щеке. — Прости меня, няня.

— Я подозревала, что ты с американцем. — Няня презрительно скривилась. — Жаль, что его кровь не такая голубая, как его глаза, но могло быть и похуже.

Бриллиант на пальце показался Бри слишком тяжелым.

— Это только сон.

— Ты мало спишь, вот я и принесла тебе молока, но обнаружила, что ты нашла более действенный способ.

Бри на этот раз засмеялась.

— Ты меня станешь ругать, если я скажу, что он для меня гораздо предпочтительнее.

— Я просто даю тебе совет сохранить свое предпочтение в секрете от отца на некоторое время, — сказала няня сухо и добавила: — Принесла тебе еще кое-что, кроме молока, но боюсь, что ты уже не отдашь ей предпочтения, как делала в детстве. — И она достала из-за спины простую тряпичную куклу, с круглым лицом, в расшитом фартучке. — А раньше не хотела засыпать без нее.

— Бедняжка так уродлива. — Бри взяла куклу в руки.

— Ты звала ее Генриетта Дурнушка.

— Надеюсь, она не обижалась.

Бри пригладила кукле волосы и глубоко задумалась. Вдруг перед ней возникла картина. Маленькая девочка лежит в кроватке с розовым пологом, розовыми простынями, стены с розами на обоях, кружевные занавески. Откуда-то доносится музыка — звуки вальса, медленного и романтичного. Рядом стоит женщина с портрета. Она улыбается, ласково приговаривает что-то, наклоняясь над кроваткой, и у нее в ушах сияют зеленым светом, покачиваются изумрудные серьги. Платье на ней тоже цвета изумрудов, шелк шуршит, когда она наклоняется. От нее приятно пахнет весной, цветением яблонь и молодостью.

— Габриела. — Няня положила руку на плечо Бри и ощутила сквозь тонкую ткань холодную как лед кожу. — Габриела?

— Моя комната, — прошептала Бри, глядя на куклу, — моя комната, когда я была маленькой, она была розовой?

— Розовая, бело-розовая, как пастила.

— И мама. — Пальцы стиснули тряпичную куклу, капельки пота выступили на лбу, но Габриела этого не заметила. Она боялась спугнуть воспоминание. — У нее было зеленое платье, изумрудного цвета, бальное платье.

— Да, с открытой спиной и грудью, — няня тоже заволновалась, но старалась говорить спокойно, — с широкой длинной юбкой.

— И ее духи были как запах цветущей яблони. Она была прекрасна.

— Да. — Няня не выпускала плеча Габриелы. — Так ты вспомнила?

— Я помню... как она пришла ко мне. И была музыка, вальс, она наклонилась надо мной, чтобы накрыть меня одеялом.

— Она всегда так делала. Сначала подходила к тебе, потом к Александру и Беннету. И твой отец тоже, если позволяли дела, приходил вместе с ней. А потом они вместе приходили взглянуть на вас, перед тем как пойти спать. Пойду позову твоего отца.

— Нет. — Бри прижала к себе куклу. Картина детства постепенно становилась размытой и, наконец, исчезла, она почувствовала слабость и опустошение. — Нет, все ушло. — Она подняла глаза, полные слез. — Я любила ее, я знаю, я испытала это чувство. Я любила ее так сильно. И, вспомнив это, как будто потеряла ее снова.

Она зарыдала, спрятав лицо в ладонях. Няня нежно гладила ее волосы. Дверь спальни чуть приоткрылась и сразу бесшумно закрылась. Они этого не заметили.

— Значит, ты решила прокатиться за город.

Бри стояла в холле, глядя на отца. Она была тщательно одета, подкрашена, волосы уложены, никаких следов слез. Но ее волнение было трудно скрыть. Она теребила ремень переброшенной через плечо сумки.

— Да. Я попросила Джанет отменить все мои встречи на сегодня. Там не было ничего важного — примерка, работа в центре с документами, но я могу это сделать и завтра.

— Бри, ты не должна оправдываться передо мной за то, что взяла выходной. — Арманд осторожно взял дочь за руку. — Я, наверное, слишком много требую от тебя.

Габриела покачала головой:

— Нет. То есть... Я не знаю.

Арманду еще никогда не было так трудно совмещать в себе монарха и отца.

— Если хочешь, я могу отвезти тебя куда-нибудь на пару недель. Например, в круиз или просто на Сардинию, у нас там вилла.

Она не стала ему напоминать, что не помнит дома на Сардинии, и вместо этого улыбнулась:

— В этом нет необходимости. Доктор Франко, наверное, говорил тебе, что я сильная и выносливая.

— Но доктор Кижински говорит, что тебя все еще беспокоят кошмары.

Габриела только вздохнула, не зная, стоит ли жалеть, что она так откровенна с психологом.

— Есть вещи, которые не проходят сразу.

Князь не мог просить Габриелу разговаривать с ним так, как она разговаривает с Ривом. Но разве может он забыть, как она сидела на его коленях, обвив ручками шею.

— Ты выглядишь утомленной, — только и сказал он. — Но деревенский воздух пойдет тебе на пользу.

Она не отводила взгляда, потому что не хотела избежать вопроса, который должен был последовать.

— Ты едешь на свою ферму?

— Да. — Она не позволит отговорить себя от того, что решила сделать.

Он видел ее решимость, уважал ее.

— Когда вернешься, расскажешь мне, что ты вспомнила, если это произойдет?

Первый раз она дотронулась до его руки, погладила, успокаивая.

— Конечно. — И ради него, ради женщины в изумрудном платье, прижалась губами к его щеке. — Не волнуйся, со мной будет Рив.

В Арманде боролись противоречивые чувства, ревность и облегчение, когда он смотрел ей вслед, пока она шла через холл. Вот лакей распахнул дверь, она вышла на солнце и исчезла.

Рив хранил молчание, пока вел машину по извилистой дороге вдоль берега. Это была та самая дорога, по которой она бежала в ту ночь, когда ее нашли. Помнит она об этом?

Она ничего не помнила, но чувствовала растущее напряжение. Природа впечатляла, хотя была довольно безжизненна — пустынный берег, продуваемый ветрами, каменные глыбы, — красота дикая, но умиротворяющая, идиллия, лишенная ярких красок. Но даже она не успокаивала сейчас Габриелу нервно сжимающую в руках сумку.

— Может быть, ты не хочешь туда ехать, Бри? Мы можем развернуться и поехать в другое место.

Она взглянула на Рива и отвернулась.

— Нет, конечно нет. Тебе нравится природа Кордины?

— Почему ты не хочешь мне рассказать, в чем дело, о чем ты все время думаешь?

— Потому что ни в чем не уверена. У меня желание все время оглянуться назад, как будто за нами гонятся.

Еще до того, как позвать ее в эту поездку, Рив решил ответить на все ее вопросы. Он расскажет все, ничего не скрывая и не приукрашивая.

— Ты бежала по этой дороге месяц назад. В грозу и шторм, — сказал он.

Она напряженно молчала, потом спросила:

— Я бежала в сторону города или прочь от него?

Ее вопрос, несмотря на волнение, был резонным — она была способна трезво оценить ситуацию.

— Ты бежала в направлении города. И уже была почти в трех милях от Лебарра, когда упала.

Она наклонила голову, глядя на свои руки. Может быть, ей просто повезло, и она бессознательно выбрала направление. Или все-таки еще помнила достаточно, чтобы знать, куда бежать.

— Рив, сегодня утром... — Габриела замолчала.

Он насторожился. Она жалеет о ночи? Его пальцы стиснули руль. Неужели так скоро? Благоразумие взяло верх? Стараясь сохранять невозмутимый вид, он спокойно спросил:

— Так что же случилось утром?

— Когда я пришла к себе в комнату, там меня ждала няня.

Ему стало легко. Он невольно улыбнулся, когда представил эту картину.

— И?..

— Мы с ней поговорили. Она накануне принесла мне теплого молока, чтобы я лучше спала, она иногда так делает. Но, как ты понимаешь, прошлой ночью мне было не до молока! — Она тоже улыбнулась и тут же стала серьезной. — А еще она принесла мне куклу, с которой я играла в детстве.

И Бри, не скрывая ни малейшей детали, рассказала подробно о том, что произошло.

— Я вспомнила маму, и это было настоящее воспоминание, не просто игра воображения, похожая на сон, это было настоящее, я вспомнила!

— Ты кому-нибудь сказала об этом?

— Нет.

— Надо рассказать доктору Кижински, когда увидишься с ним сегодня. — Рив не советовал, скорее приказывал.

Габриела поборола привычное возмущение.

— Да, я поняла. Но как ты думаешь, это начало?

— Я думаю, ты с каждым днем становишься сильнее, но мозг дает тебе время, чтобы окончательно окрепнуть, прежде чем ты вспомнишь все.

— Значит, остальное придет?

— Конечно. — Рив с горечью подумал, что, когда это случится, она забудет его. Он ей больше не будет нужен. Его работа будет окончена. Ферма утешит его...

Но странно, теперь ферма была такой далекой и чужой, как будто прошло не несколько недель, а много лет, и уже казалась не спокойным и приятным местом для отдыха и размышлений, а одиноким и пустынным. Вернувшись туда, он уже будет другим человеком, с другими чувствами.

Следуя мысленно карте, которую предварительно изучил, Рив свернул на дорогу, ведущую в глубь материка, и море осталось позади. Теперь дорога была неровной, так что пришлось сбросить скорость.

Появились деревья, они становились гуще, приглушая шум моря. Зеленые холмы сделали пейзаж менее драматичным. Слышался лай собаки, протяжное мычание коров. Рив мог вообразить, что вернулся домой.

Снова поворот. Теперь пошла простая грунтовая дорога, с одной стороны поле, с другой — деревья.

— Это здесь?

— Да. — Рив выключил зажигание.

— Они нашли мою машину здесь?

— Да. Здесь.

Она посидела, как будто выжидая.

— Почему я ждала, что все будет легко и гладко? Что, когда вспомню, станет легко и просто жить. А нож в моей руке? — Она посмотрела на свою руку, как будто нож был еще там. — Уверена, тогда я способна была убить.

— Мы все способны при определенных обстоятельствах.

— Нет. Это не так. — Она сложила руки на груди, внешне оставаясь спокойной, хотя внутри у нее все переворачивалось. — Я в это не верю. Убить, взять чью-то жизнь... Надо понять, что способна на насилие темная сторона души человека. У одних она так сильна, что преобладает над светлым началом.

— Но что произойдет, если ты просто закроешь глаза и отвергнешь насилие? — Рив схватил Габриелу за плечо и повернул к себе.

В ее глазах отразилась буря эмоций.

— Я не хочу насилия в своей жизни, — вдруг страстно произнесла она, — и я не смогу принять факт, что убила.

— Тогда ты никогда не сможешь уйти от этого. Будешь жить как во сне. Как принцесса в заколдованном замке — холодная, отчужденная и недосягаемая.

— Ты хочешь вытащить меня из моих фантазий?

Он не просто хотел, а подталкивал ее довольно грубо. Но разве она сама не просила его об этом?

— А ты? — вдруг услышал он неожиданно. — Разве не фантазия — после стольких лет своей работы, где ты постоянно сталкивался с насилием и сам убивал, вдруг зажить одному в поле, выращивая пшеницу? Сидеть на крылечке, притворяясь, что радуешься всходам?

Она нанесла удар точно в цель. Сначала в нем вспыхнула обида и злость. Она еще не знала, что его главной фантазией была она.

— По крайней мере я отличаю фантазии от реальности.

— И не испытываешь сожалений по поводу того, что совершил?

— К черту сожаления. Завтра, может быть, я решу по-другому. У меня есть выбор. — Он сам хотел этому верить.

Она отвернулась, успокаиваясь.

— Наверное, мы в этом отличаемся. Как я смогу жить, продолжать спокойно жить, зная что я...

— Ты — обычный человек, — просто сказал он, — как и все мы.

— Не упрощай.

— Хочешь сказать, что твой титул и положение делают тебя отличной от всех нас?

Она хотела вспылить, но только глубоко вздохнула.

— Ты загнал меня в угол. Я обычный человек, я напугана, потому что не знаю, что означают тени прошлого.

— Так ты хочешь, чтобы мы продолжали выяснять?

— Да. — Она взялась за ручку двери. — Да, хочу.

Выйдя из машины, она оглянулась, не зная, с чего начать.

— Ты уже был здесь раньше?

— Нет.

— Хорошо, значит, мы оба здесь впервые. — Она заслонила рукой глаза от солнца. — Может быть, я тоже собиралась здесь что-то выращивать?

— Во всяком случае, я знаю, раньше ты говорила об этом.

— Но так ничего и не делала.

Она пошла по тропинке. Цветы росли повсюду, в поле и вдоль тропинки. Желтые. Голубые. Вокруг них кружились и деловито жужжали толстые пчелы. Бабочка размером с ее ладонь пролетела и села на петунию. Пахло травой, плодородной землей. Бри шла вперед, уверенно, но кажется, без всякой цели.

Из-под ног выпорхнула сойка и с возмущенным стрекотом полетела в гущу деревьев. Здесь придется много поработать, прежде чем вырастет урожай. И поэтому приоберенная земля оставалось пустой, как ее пустые мечты.

— Зачем я купила эту землю?

— Ты хотела иметь свой уголок, куда могла бы уехать, чтобы побыть в одиночестве.

— Убежать?

— Побыть в одиночестве, — поправил он, — в этом разница.

— Но здесь можно построить действительно большую ферму. Смотри, если расчистить участок, вот на этом месте можно поставить отличный дом окнами в поле. Там — конюшня, стойла, курятник. — Габриела оживилась. — На ферме будут свежие яйца, как положено. Дети и собаки, на окнах ящики с цветами. Земля не должна пустовать.

Он думал как она. Но его земля была очень далеко от ее земли. Они были такими разными.

Она пошла прямо по траве, и вдруг под ногами что-то звякнуло и откатилось в сторону. Рив подошел и поднял красный термос, пустой, крышки и пробки не было. В нем проснулся полицейский. Он осторожно поднял термос за дно, так, чтобы не оставлять отпечатков.

— Ты вспоминала, как сидишь на солнце и пьешь кофе из красного термоса.

Она взглянула на термос с отвращением.

— Да.

— И ты почувствовала, что хочешь спать.

Он понюхал пустой термос. Его мысль работала. Интересно, насколько профессиональна полиция в Кордине? Почему ферму не осмотрели как следует? Почему такая улика осталась незамеченной? Он разберется с этим.

Она сама привела его к этому месту, хотя он предоставил ей возможность выбора. Просто шел за ней следом, стараясь не мешать. Она уверенно показывала, где должен стоять дом, где конюшни. Должно быть, она сидела и пила кофе где-то неподалеку. Рив поискал глазами и увидел большой валун. Скорее всего, она сидела там, прислонившись к теплому камню, пила кофе и мечтала о ферме.

— Значит, ты задумалась, потом тебя стало клонить в сон, ты задремала. Но старалась бороться со сном. Ты сама говорила это. Потом встала и пошла к машине. Но в это время снотворное подействовало, и ты упала, а термос откатился в сторону.

— Снотворное было в кофе.

— Да. Тот, кто похитил тебя, очень нервничал и спешил, поэтому не стал искать термос. Зачем? Ты уже была у него в руках.

— Но тогда это был тот, кто хорошо знал мои привычки, кто знал, что я сюда поеду. — Она замолчала, глядя на термос.

— Кто находился всегда рядом, — закончил он за нее.

Она вспомнила темноту, страх, она бежит, не зная куда, потому что боится погони.

— Что нам делать?

— Сначала мы узнаем, кто тебе готовил и наливал в термос кофе, кто имел возможность всыпать туда снотворное.

Габриела кивнула, видно было, как ей тяжело об этом говорить.

— Рив, ты ведь тоже думаешь об этом. Что полиция давно должна была выйти на них? Ты ведь об этом подумал?

Она взглянула на кольцо. Сапфир — символ верности. Бриллиант — любви.

— Мой отец, — начала она и замолчала, не в силах продолжать.

— Настало время с ним поговорить и все рассказать, — сказал Рив.

К месту встречи каждый добирался в одиночку, по труднопроходимой дороге. Теперь, когда опасность приблизилась вплотную, эта встреча стала неминуемой.

Место они выбрали глухое и отдаленное, вдали от жилья, где стоял давно брошенный дом. Он был идеальным для свидания, в том числе и потому, что находился на небольшом расстоянии от маленькой фермы и далеко от города. Окна были заколочены, кроме одного, с сорванными досками. Они уже договорились устроить пожар и спалить дом вместе с уликами. Спрятать концы в воду, как и тело, надежно похороненное в лесу.

Две машины прибыли с интервалом в несколько минут. Приехавшие были слишком пунктуальны и дисциплинированны, чтобы опаздывать. У обоих нервы были напряжены до предела. Но обстоятельства вынуждали рисковать, вверяя друг другу свои жизни.

— Она начинает вспоминать.

— Вы уверены? — Второй голос был испуганным, торопливым.

— Моя жизнь мне так же дорога, как и вам ваша, не стоило рисковать, если бы это было не так.

Оба понимали, что каждый в безопасности до тех пор, пока один из них не пойман. Или пока один не совершит ошибку.

— Как много она знает?

— Пока недостаточно, чтобы слишком волноваться. Воспоминания детства, несколько неясных кошмаров, — пролетевшая низко ворона заставила обоих вздрогнуть, — но все быстро меняется. Теперь это уже не просто кошмары, а достаточно отчетливые образы, и если она подтолкнет память, постарается, все вернется.

— Но мы всегда это знали. Нам просто надо еще немного времени.

— Времени? — Ответом был отрывистый смех, вспугнувший белку. — У нас его нет. И она все рассказывает американцу. Они теперь любовники, и он умен. Очень умен. Иногда мне кажется, что он уже кое-что подозревает.

— Не будьте так подозрительны, как он мог догадаться? Если бы этот идиот, Генри, тогда не напился... — последовало французское ругательство.

Их тщательно разработанный план рухнул из-за пьяного ублюдка и его похоти. Они не испытывали жалости к тому, кого зарыли неподалеку в лесу.

— Что теперь вспоминать? Нам придется повторить попытку. Дебок все еще в тюрьме, и единственный выход — обмен.

— Мы уже держали ее.

— Никто и не подумает, что второй раз похищение может быть так скоро.

Оба были полны страха и злости, оба ходили по краю пропасти с тех пор, как Бри очутилась в больнице.

— Мы снова схватим ее. Скоро.

— Но что делать с американцем? Он не так прост, теперь нам будет труднее справиться.

— Устраним, как и принцессу, если она вспомнит слишком много. Следите за ней как следует. Вы знаете, что делать в случае необходимости.

Маленький пистолет со смертельными пулями был надежно спрятан.

— Если я ее убью ее, кровь будет и на ваших руках.

— Мы оба знаем, что времени мало. Но надо продержаться до бала.

— Но ваш план безумен. Похитить ее прямо из дворца, когда там будет людское столпотворение...

— План вполне реален. У вас есть лучший?

Тяжелое молчание было ответом.

— Не могу себя простить. Зачем мы оставили с ней этого пьяницу?

— Держите глаза и уши открытыми. Она вам доверяет. Вы ведь заслужили ее доверие?

— Не больше, чем все остальные.

— Тогда используйте его. У нас меньше двух недель.

Глава 10

Бри сидела выпрямившись, сложив руки на коленях, и смотрела прямо перед собой. Вопросы теснились в ее мозгу. Кто она? Говорят, что ее высочество, принцесса Кордины, дочь и сестра, урожденная Биссет, принадлежит к одному из древнейших королевских родов Европы. Какая она? Она узнала и это — ответственная, с высоким чувством долга, хороший организатор, но не слишком рассудительна, подвержена настроениям. А главное, что составляет натуру человека, те мелкие черты, привычки, слабости, привязанности и все, что составляет прошлое, включая детство, потеряно, и она только начинает возвращать себе память.

Снотворное в кофе, забытье, темнота, голоса. Нож и кровь на руках. Она снова и снова вызывала эти воспоминания, чтобы вернуть остальное. Постепенно силы возвращаются, страх уходит и появляется желание вспомнить все.

Было тихо. Через окна, выходящие на запад, комнату наполнял ясный, спокойный свет. Из-за него красный ковер на полу пламенел и цветом напоминал кровь.

— Значит, вы думаете, что в кофе, которое Габриела брала с собой, было подсыпано снотворное. — Арманд взглянул на стол, где стоял красный термос.

— Наверняка. — Рив стоял около кресла, в котором сидела Бри. — Ее вспоминания на это указывают.

— Его можно отдать на анализ.

— Да, и это надо было сделать раньше. — Рив не сводил глаз с лица Арманда, улавливая малейший оттенок эмоций, но и князь так же внимательно следил за лицом Рива. — Остается только удивляться, что термос не нашли.

Вид у князя Арманд стал неприступно надменным. Теперь перед Ривом был монарх.

— Да, кажется, полиция проявила беспечность.

— Это означает, что масса людей, которые должны выполнять служебный долг, не сделали этого. — Рив с трудом сдерживался, он не понимал князя, его отношения к явному нарушению. —

Если в кофе подсыпали снотворное, налицо преступление.

Арманд достал одну из длинных коричневых сигарет и закурил.

— Разумеется.

— Вы слишком спокойны, ваша светлость.

— Я оцениваю факты и немедленно приму меры.

— А я не могу быть таким спокойным. Вы на меня возложили обязанности телохранителя, и я увезу Габриелу из Кордины, пока не закончится расследование. Здесь, во дворце, ей опасно находиться.

У князя затвердели скулы, но он сдержался.

— Если бы я не тревожился за безопасность дочери, то не пригласил бы тебя сюда.

— Я бы не приехал, если бы не ваша дружба с отцом. Но поскольку я согласился, моя обязанность — выполнить свой долг. Я охранял принцессу, но теперь все изменилось. Я не только хочу ее охранять, я хочу найти виновных и это сделаю.

Арманд величественно выпрямился.

— Ты не имеешь права диктовать мне условия.

— Поймите же, ваша корона вас не защитит. — Рив шагнул к князю.

— Хватит! — Бри, до сих пор молчавшая, вскочила и стала между отцом и Ривом. — Она не собиралась поддерживать ни того ни другого. Гнев душил ее, долго сдерживаемая вспыльчивость вырвалась из-под контроля. — Как вы смеете, вы оба, говорить в моем присутствии обо мне, как будто я пустое место? Как будто я не способна ни думать, ни принимать решения, которые касаются меня. Я смогу сама себя защитить, почему вы меня не принимаете в расчет и стремитесь меня опекать? По-вашему, я ни на что не способна?

— Габриела! — Арманд поднялся. Как часто раньше ему приходилось сталкиваться с такой несдержанностью. — Придержи язык.

— Нет. — Князь невольно восхитился сходством дочери с покойной женой. — Я не собираюсь быть вежливой и послушной. Я не кукольная принцесса, которой играют, я взрослая женщина. И это моя жизнь, вы понимаете? И я не собираюсь молчать и смотреть, как вы тут спорите, как два несговорчивых и упрямых ребенка, которые дерутся за один приз. Я хочу получить ответы на *свои вопросы*.

Арманд холодно взглянул на дочь:

— Ты требуешь больше, чем я могу дать в настоящий момент.

— Я хочу только того, что мне положено по праву.

— Ты получишь только то, что я захочу дать и когда захочу.

Габриела побледнела, но не потеряла решимости.

— Вы прекрасный монарх, ваша светлость, но вот можно ли так сказать и об отце?

Ее тон и слова вонзились в сердце князя как острый нож, но на лице не дрогнул ни один мускул.

— Ты должна мне доверять, Бри.

— Доверять! Я никому не могу доверять. Никому! — Она повернулась и выбежала из комнаты.

— Пусть идет, — остановил Арманд Рива, который немедленно двинулся к двери вслед за Габриелой. — Не волнуйся, она под надежной охраной. За ней приглядывают, я же говорил, она все время под наблюдением. — И настойчиво повторил, видя, что, Рив колеблется: — Я сказал, оставь ее!

Рива остановили не слова, а тон, которым они были сказаны. В голосе Арманда было все — приказ, страдание, боль, как тогда, в больнице. Он обернулся.

— Ты знаешь, что каждое ее движение находится под наблюдением? Ты не знал? Каждый ее шаг под контролем, и я даже знаю, где она провела сегодня ночь.

Рив задумался. Он замечал, как много лишних слуг крутится около Бри, но полагал, что это работа Александра.

— Так вы шпионили за нами?

— Я старался ее обезопасить. Чтобы не было ни малейшего шанса, ведь ты мог один не справиться. Она иногда оставалась одна, и ее жизнь зависела от многих непредвиденных обстоятельств, а она слишком драгоценна для меня. Ты мог отлучиться. — Он устало провел рукой по лицу. — Прошу, закрой дверь и иди сюда. Пришло время рассказать то, чего ты не знал.

Рив доверял своей интуиции. Иногда это было единственное, что спасало ему жизнь. Он прикрыл дверь и подошел к князю.

— Какую игру вы ведете, Арманд?

— Игру, от которой зависит спокойствие страны и благополучие моих граждан. И я уповаю на Господа. — Князь взял со стола гладкий белый камень, сжал его в руке. — Все, кто виноват, будут наказаны, — прошептал он, — я поклялся своей жене, которую так любил и потерял.

— Вы знали, кто ее похитил, — голос Рива дрогнул от сдерживаемого гнева, — вы все это время знали.

— Наверняка я знаю только об одном, другой пока под подозрением. Признайся, Рив, ты тоже подозревал кое-кого. Я в курсе, что ты вел свое расследование, сопоставлял факты и делал выводы. Я другого от тебя и не ожидал. Но только не учел, что ты станешь делиться выводами с Габриелой.

— Но разве она не имеет право...

— Я — ее отец, но прежде всего монарх. Я даю ей права, и я их забираю.

Вновь надменный вид и холодная властность тона восхитили Рива.

— Вы ее использовали.

— Ты тоже. Как и другие. Вся картина заговора не сводилась только к похищению дочери, сеть была велика.

— Но зачем вы позвали меня?

— Потому что, как я уже говорил, доверяю тебе. Я знал, что тебя не устроит роль простого телохранителя и ты не останешься в стороне. Ты станешь наблюдать, думать и сделаешь вывод. Но я не могу тебе позволить действовать, потому что время еще не пришло и ты можешь все испортить.

— Но какого черта вы оставляете Бри в неведении? Разве не знаете, как она страдает? — Рив отбросил придворные церемонии.

— Я?! — вскричал князь. Рив, как и многие, понятия не имел, что в молодости Арманд славился необыкновенно вспыльчивым нравом и двадцать лет обуздывал его, но сейчас дал волю эмоциям. — Она мое дитя. Мой первый ребенок, я держал ее за ручку, когда она начинала ходить, я вставал ночью и баюкал ее, когда она болела. Рыдал вместе с ней у могилы ее матери. — Арманд подошел к окну и вцепился в подоконник. — Я делаю все для нее, и я люблю ее.

Рив верил этому.

— Но почему вы не скажете ей?

Рив не мог понять, что у Арманда в душе боролись чувства отца и монарха. Любовь и долг.

— Рассудок — вещь деликатная. Мы не можем игнорировать опасность, и, хотя теперь Бри достаточно сильна, все еще существует преграда в ее сознании, что-то страшное, и оно не позволяет ей вспомнить. Подталкивать ее опасно. Почему ты сам не сказал ей о подозрении? Ты ведь подозреваешь кого-то?

— Еще не пришло время... — начал Рив.

Но князь прервал его:

— Вот именно. Я и пытаюсь дать ей это время. Доктор Кижински настоятельно просил, почти требовал, чтобы мы дали ей время, потому что, если она не сможет вынести правды, которую узнает, и вторично испытает стресс, от которого впадет в полное беспамятство, тогда уже ничто и никогда ей не поможет.

— Она уже начала вспоминать.

— Пусть память возвращается постепенно, — князь продолжал катать в руке камень, — нельзя рисковать и рассказывать обо всех подозрениях. Я должен сначала довести дело до конца. Да, я знаю, кто похитил ее и почему, — его глаза сверкнули гневом, — но время не пришло, надо взять их с поличным. Ты, как человек, работавший в секретных службах в Вашингтоне, можешь мне быть очень полезен. Я изучил твое досье, знаю, какой работой ты занимался.

— Я был копом.

— Ну, не только. Но оставим это, ты понимаешь, что как монарх я должен сначала получить доказательства, а уж потом казнить или миловать. Я отец, у которого обидели дитя, но закон требует от меня его строгого соблюдения. Есть приближенные, которые считают, что я ничего не знаю об их взятках, интригах и фальшивой преданности, которую они передо мной демонстрируют. Но это играет мне на руку, потому что они теряют бдительность. Думают, что, получив обратно Габриелу, я успокоюсь и не стану искать похитителей. Одним из их требований было освобождение некоторых преступников из тюрьмы. Но эти преступники — лишь прикрытие, им нужен только один — Дебок.

Рив сразу вспомнил это имя. Он слышал его, когда работал в Вашингтоне. Успешный бизнесмен занимался торговлей оружием, продажей женщин в сексуальное рабство и наркотиками. Не брезговал ничем. За ним следили, и трехгодовое расследование сорвало с преступника маску, его судили и приговорили к длительному сроку заключения. Он провел в тюрьме уже два года и умудрялся оттуда дергать за ниточки, управляя мафиозным сообществом.

— Так вы думаете, за этим стоит Дебок?

— Да, Дебок похитил Габриелу, — сказал Арманд, — осталось только доказать, чьими руками он это сделал. Ты понимаешь, что не просто обвинить своих приближенных в заговоре, это потребует неопровержимых доказательств. Но один точный ход, и Дебок будет остановлен, а его политические махинации будут закончены.

— Дебок даже из тюрьмы может руководить своими сообщниками?

— Да. Он придумал целую комбинацию и верит, что ему удастся ее завершить. Я думаю, что с этим, — князь указал на термос, — мы оборвем его ниточки. Есть два сообщника. Один вскоре будет обезврежен и назван. Но с другим сложнее. — Он опустил взгляд на кольцо, знак монаршей власти, и по его лицу пробежала тень. Сожаления? Недовольства? — Я уже говорил, что знаю, где Габриела провела сегодня ночь.

— Да. Она была со мной.

По лицу князя опять скользнула тень, но Рив не мог понять, что она означает.

— Ты сын моего давнего друга, и я уважаю его и тебя, — продолжил Арманд, — но мне трудно оставаться спокойным в данном случае, хотя знаю, что она сама пришла к тебе. Умом я понимаю, что она взрослая женщина. Однако... Он помолчал. — Скажи мне, я хочу знать, каковы твои чувства к Габриеле. Я сейчас спрашиваю как отец.

Рив посмотрел ему в глаза и просто сказал:

— Я люблю ее.

Арманд испытал удовлетворение с тем горьковато-сладким привкусом, которое известно каждому родителю, когда его дитя отдает любовь постороннему человеку.

— Настало время тебе рассказать, что я уже предпринял и что хочу сделать. Мне нужен твой совет. — Он показал на стул, Рив сел и приготовился слушать.

Они проговорили минут двадцать. Один раз Арманд подошел к шкафчику и плеснул обоим немного бренди. План был готов. Князь рассчитывал на Рива, когда приглашал его в Кордину, отдавая должное его опыту.

— За обоими подозреваемыми идет тщательное наблюдение, — завершил разговор князь. — Как только Бри вспомнит все, что с ней произошло, будут предприняты очередные шаги по ее безопасности. И если все пойдет по плану, для нее не возникнет никакой угрозы.

Бри ворвалась в свой кабинет с пылающими щеками. Там была Джанет. Увидев принцессу, секретарша вскочила и присела в поклоне:

— Ваше высочество, я не ожидала вас так рано сегодня.

— Мне надо поработать. — Бри прошла к своему столу, села и принялась просматривать лежавшие там бумаги. — У нас есть меню для гостей, которые приглашены на ужин до бала?

— Да, у вас на столе, ждет вашего одобрения.

— Вот оно.

Бри взяла плотный кремовый лист. Каждое из семи основных блюд сопровождалось вином определенного сорта. Она сама подбирала вина. Это было меню, к которому не мог бы придраться и самый привередливый гурман. Настоящий шедевр кулинарного творчества. Бри на мгновение забыла о разговоре в кабинете отца, но вскоре гнев вернулся с такой силой, что она, стукнув рукой по столу, воскликнула:

— Нет! Я не могу это так оставить!

— Меню не нравится, там что-то напутали, ваше высочество?

— Нет, меню сделано превосходно. Передайте каллиграфу, что я одобрила. Пятьдесят гостей не забудут этот выдающийся ужин. Я, оказывается, хорошо помню, как составлять меню.

Джанет, не зная, как реагировать, молчала, только смотрела на принцессу удивленными глазами и ждала продолжения. И оно последовало.

— Даже мой отец отрицает мое право самостоятельно действовать!

— Уверена, вы не так его поняли, ваше высочество, — сказала Джанет, — принц Арманд...

— Взялся за меня принимать решения, — закончила в гневе Бри, — он скрывает от меня правду. Что-то происходит, о чем мне не хотят говорить. Но скоро я все узнаю.

— Вы расстроены. — Джанет аккуратно выровняла стопку бумаг и отложила в сторону. — Я прикажу подать вам кофе. — Она потянулась к телефону.

— Подождите. Кто делает мне кофе, Джанет?

Удивленная настойчивым тоном принцессы, Джанет положила трубку на место.

— На кухне, разумеется, ваше высочество. Я позвоню им и прикажу подать.

Бри подумала, что не помнит, где находится кухня. А может быть, и раньше не знала?

— А когда я выезжала за город, кто наливал в термос кофе?

— Вы любите очень крепкий кофе. И обычно готовит его ваша старая русская женщина.

— Няня. — Бри не это хотела услышать.

— Вы часто шутили, что ее кофе такой сильный, что не каждый выдержит. — Джанет улыбнулась, как будто помогая принцессе вспомнить. — Она варит его в своей комнате и отказывается дать рецепт повару.

— Так это она приносит перед поездкой термос?

— Как правило. И принц Беннет предпочитает ее кофе, а если от рубашки отрывается пуговица, несет не своему камердинеру, а няне.

Бри стало нехорошо. Няня — самый старый и самый доверенный человек в семье.

— Но ваша няня, конечно, считает себя не просто прислугой, а почти членом семьи. Принцесса Елизавета всегда брала ее с собой в поездки, именно ее, а не свою горничную.

— Няня была в Париже с мамой? Когда та заболела?

— Я так слышала, ваше высочество. Она обожала принцессу Елизавету.

Обожание на грани безумия? Где-то произошел надлом? Сколько еще людей имели возможность подсыпать в термос снотворное?

Стараясь успокоиться, Бри спросила:

— Не знаете, в тот день, когда я уехала на ферму и была похищена, няня готовила мне кофе с собой?

— Да, — Джанет поколебалась, — она принесла его вам сюда. Вы перед уходом просматривали письма, и няня еще ворчала, что вы всегда забываете брать с собой жакет. Вы рассмеялись и обещали ей, что послушаетесь. Она ушла. Вы торопились и сказали мне, что мы просмотрим почту позже, когда вы вернетесь. Взяли термос и ушли.

— Никто не входил? Может быть, кабинет оставался какое-то время пустым? Не было каких-то перерывов между визитом няни и моим уходом?

— Никто не входил, ваше высочество. Ваш автомобиль стоял перед входом. Я сама вас проводила к нему. — Джанет встревоженно посмотрела на принцессу. — Может быть, вам не стоит так напрягать память и вспоминать такие мелочи?

— Наверное. — Бри подошла к окну. Ей вдруг так захотелось поделиться своими сомнениями и мыслями с женщиной, подругой, которой можно довериться. — Вы больше не нужны мне сегодня, Джанет. Благодарю вас.

— Хорошо, ваше высочество. Заказать вам кофе перед уходом?

— Нет, не стоит. — Бри чуть не рассмеялась. — У меня сегодня нет настроения.

Когда секретарша ушла, она поняла, что больше не может оставаться в четырех стенах. Захотелось воздуха, солнца, и она не задумываясь вышла из кабинета. Ноги сами привели ее на террасу, где в тот, первый вечер они целовались с Ривом. Где она впервые пыталась пробудить чувства, дремавшие в ней.

Днем терраса выглядела по-другому. Бри подошла к балюстраде. Вид сверху был потрясающий. Она видела гряду кряжистых гор, эта гряда отделяла Кордину от остальной Европы. Когда-то горы служили естественной преградой от захватчиков, которые не прочь были завладеть маленькой страной на побережье. Потом ее взгляд переместился к морю и каменному бастиону. Там все еще стояли пушки как напоминание о пиратах, угрозах с моря и горделивых фрегатах.

Чуть дальше раскинулся город, столица Кордины — жемчужина Средиземноморья, славящаяся старинной, причудливой экзотикой. Бри его обожала. Ей не требовалось возвращать память об этом чувстве, оно жило в ней всегда. Кордина — это дом и убежище, это прошлое и будущее.

Ей так хотелось спуститься туда, но это было невозможно.

— Ваше высочество. — На террасу вышел Любэ, припадая на левую ногу. — Надеюсь, что не побеспокоил вас.

Хотя Бри предпочитала побыть одна, она с улыбкой протянула ему обе руки. Надо быть снисходительной, во всяком случае, ей импонировала жена Любэ, которая была молода и очаровательна и Бри очень понравилась. Ей казались их отношения такими романтичными — немолодой и сухой министр и эта любовь.

— Вы хорошо выглядите, месье.

— Благодарю, ваша светлость, — произнес министр по-французски и поднес ее руку к губам. — Осмелюсь сказать, что вы цветете. Дома всегда лучше, чем в больнице.

— Я только что думала, — Бри снова взглянула на город, — дом не всегда только крыша и стены. Тот город, внизу, тоже мой дом. Вы пришли к моему отцу, месье Любэ?

— Да. Мне назначена встреча через несколько минут.

— Скажите, месье, вы работаете с моим отцом много лет. Вы его друг?

— Смею надеяться, что это так, ваше высочество.

Любэ был такой дипломатичный, консервативный, что хотелось его растормошить.

— Послушайте, месье, я не должна задавать этот вопрос, но тем не менее задам. — Бри приподняла бровь. — Ведь не кто иной, как вы хотели, чтобы моя амнезия была скрыта от всех. Поэтому, пока я сама не вспомню, я задаю вопросы. У моего отца есть друзья и вы один из них?

Любэ сделал паузу, прежде чем ответить, он всегда тщательно подбирал слова, взвешивал их методично, прежде чем произнести.

— Есть люди великие, и один из них — ваш отец. Великие люди часто окружены врагами и завистниками. Есть просто хорошие люди, они, как правило, врагов имеют мало. Ваш отец совмещает и то и другое. И несет двойную ношу.

— Кажется, я понимаю. — Бри вздохнула и прислонилась к стене.

Любэ тоже с улыбкой стал смотреть на город.

— Я не гражданин Кордины — по закону государственный министр должен быть французом. Я люблю мою страну, и я не согласился бы служить чужой, если бы не дружба и мое отношение к вашему отцу.

— Хотела бы я быть так уверена в своих чувствах, — пробормотала Бри.

— Ваш отец очень любит вас, — сказал Любэ так проникновенно, что Бри почувствовала, как ее глаза наполняются слезами. — Не сомневайтесь, для князя Арманда самым важным сейчас является ваше полное выздоровление.

— Вы меня пристыдили.

— Ваше высочество...

— И вы правы. Мне есть о чем задуматься. — Она протянула министру руку. — Благодарю вас, месье.

Он отвесил церемониальный придворный поклон, вызвав ее улыбку.

Любэ ушел, а она, глядя на город, тут же забыла о нем, и ее мысли вернулись к отцу. Ни она, ни Любэ не обратили внимания на молодого садовника, который возился с цветочными горшками в дальнем конце террасы. Равно как и на служанку плотного телосложения, протиравшую оконные стекла с другой стороны террасы.

Отец что-то скрывал от нее. В этом Бри была уверена. Но ведь и причины были ей неизвестны. Возможно, они очень важны. Оправдание князя не принесло ей облегчения, возмущение оставалось. Она решила, что сама найдет причину, по которой он и другие стараются скрыть от нее правду.

Появился Рив. Он обыскал весь дом, все места, где она могла быть, пока, наконец, не вспомнил о террасе. Он не показал вида, что испытал громадное облегчение, увидев ее. Арманд заверил, что Бри непрерывно охраняют, и он сразу опытным взглядом увидел двух людей, казалось занятых своим делом, но наблюдающих за принцессой. Арманд проявил осторожность и не назвал имена тайных агентов.

После разговора с князем он теперь лучше понимал причину, по которой тот пригласил его в Кордину. Для него эта страна и королевская семья не вызывали таких патриотических чувств, как у жителей Кордины. Равно как и родственных. Но так было раньше. Сейчас он в этом сомневался, глядя на Габриелу. Как раз теперь, когда ему, как никогда, нужна объективность, он влюбился и уже не мог быть беспристрастным. Придется смириться с этим фактом.

— Бри.

Она обернулась, не выразив тревоги, как будто почувствовала его приближение. Ее волосы слегка растрепались от ветра, глаза смотрели ясно, она уже могла разговаривать спокойно.

— Когда, в тот первый вечер, мы были здесь, у меня было много вопросов, слишком много, на некоторые я постепенно получила ответы, но на большинство — пока нет. Ты не расскажешь, о чем вы говорили с отцом, когда я ушла?

Рив ответил сразу, не задумываясь:

— Твой отец сейчас думает в первую очередь о тебе, о твоей безопасности, если это тебя успокоит.

— А ты?

— Я нахожусь здесь ради тебя. — Он подошел и встал так близко, как в тот, их первый вечер. — И другой причины нет.

— Ради меня, — повторила она, глядя прямо в синие глаза, как будто искала в их глубине ответ. — Или потому, что тебя просил лучший друг твоего отца?

— Что ты хочешь? — Он взял ее руки и подумал, какие они маленькие и слабые, но в то же время какая сила в ее взгляде. — Мое чувство к тебе не имеет ничего общего с профессиональным долгом и семейными связями. Мое пребывание здесь полностью зависит от того, что я чувствую к тебе.

Рив не назвал это чувство. Он слишком осторожен? Почему бы просто не сказать *люблю*?

Она взглянула на их соединенные руки. Вероятно, для него все выглядит иначе, и на это есть причины. Ведь далеко не все сказки имеют хороший конец. Рив — не рыцарь на белом коне, который спасает принцессу и увозит в свой край. Он настоящий мужчина. Она никогда не отдала бы сердце рыцарю.

— Мне так хочется, чтобы все скорее закончилось. — *Все* включало и ее прошлое, которого она не помнила, и неопределенность настоящего. — Я хочу снова быть сама собой.

Он послал подальше все свое благоразумие и взял ее за плечи.

— Я заберу тебя в Америку.

— В Америку?

— Ты можешь пока побыть на моей ферме со мной, пока здесь все не разрешится.

Пока. Слово напомнило ей, что все когда-то кончается. Бри беспомощно опустила руки.

— Но это дело касается только меня, я не могу сбежать.

— Но тебе не обязательно сейчас здесь быть.

План вдруг показался Риву простым и ясным — Бри уедет с ним, у Арманда будут развязаны руки, и он сможет осуществить план по раскрытию заговора.

— Но ведь я именно здесь потеряла память и не смогу найти ее за тысячи миль.

— Когда придет время вспомнить, ты вспомнишь. И не имеет значения, где в этот момент ты будешь находиться.

— Но это имеет значение для меня. — Она отступила назад. К ней вернулась гордость, ее происхождение и долг диктовали ей другое решение. — Ты считаешь меня трусихой? Ты думаешь, что я просто повернусь и уеду, оставив людей, которые использовали меня, в покое? Мой отец хочет, чтобы я больше не задавала вопросов?

— Тебе лучше знать.

— Я ничего не знаю, кроме того, что все мужчины в моей жизни стараются оградить меня от чего-то, от чего я не хочу прятаться. Только сегодня утром ты говорил, что мы станем теперь работать вместе.

— Я говорил правду.

Она не сводила с него внимательного взгляда.

— А теперь?

— Я по-прежнему так думаю.

Лаконичный ответ не предполагал рассказа о том, что Рив узнал от князя. Не сказал он и о своей любви.

— Тогда начнем, — предложила Бри и подумала, что тоже скрыла свой разговор с Джанет.

Они вдруг одновременно сделали шаг друг к другу и обнялись.

— Как бы я хотела очутиться сейчас с тобой вдвоем, как тогда на яхте.

— Мы с тобой поплывем завтра.

Она покачала головой, потом прижалась щекой к его груди.

— Но я не могу. Бал требует внимания, времени почти не осталось, и еще столько дел.

И у него тоже.

— Тогда после бала.

— Ты обещаешь? — Она закрыла глаза. — Дай слово.

Он поцеловал ее в волосы.

— Какое?

— Когда все кончится, по-настоящему закончится, ты со мной проведешь целый день на море. — Она обвила руками его шею. — Обещай.

— Обещаю.

Она вздохнула:

— Я тебя заставлю сдержать слово.

Их губы встретились. И каждый не хотел сейчас думать о том, что будет после того, последнего, дня на море.

Глава 11

— Я сказал профессору Спарксу, что человек должен быть сделан из камня, чтобы сосредоточиться на Гомере, если в том же классе находится такая девушка, как Лиза Бэрроу.

— Он тебя понял? — рассеянно спросила Бри, наблюдая, как только что вымытая люстра ползет вверх к потолку.

— Ты смеешься? Он не способен понять. Но у меня уже назначено свидание с восхитительной мисс Бэрроу. Что скажешь?

Она рассмеялась, просматривая список недоделок и прикидывая, что осталось сделать.

— Скажу, что ты не за тем поехал в Оксфорд, чтобы пополнить записную книжку.

— Но ты не станешь мне читать нравоучения. Я тебя знаю. Послушай, я видел список гостей, и среди них есть божественная миссис леди Лоуренс.

Бри подняла глаза от списка.

— Беннет, леди Лоуренс лет тридцать, и она замужем.

Брат бросил на нее взгляд неисправимого, но очаровательного шалуна и проказника:

— Ну и что?

Она только покачала головой. Он от рождения такой беспечный?

— Все-таки, кажется, придется прочитать тебе нотацию.

— Оставь это Алексу. Он все сделает с чувством и толком.

— Я уже поняла, — пробормотала Бри.

— Он и тебе уже успел сделать выговор?

Она снова озабоченно сдвинула брови, наблюдая, как очередной светильник подтягивают вверх.

— Александр всегда такой?

— Такой уж у него характер. — В тоне Беннета не было осуждения, он был снисходителен к брату.

— Принц Совершенство.

— О, так ты помнишь? — Его лицо оживилось и просветлело.

— Мне сказал доктор Франко.

— А! — Он стиснул ее руку, ободряя и утешая. — Я не мог с тобой вчера поговорить, извини, поздно приехал. Хотел спросить, как у тебя дела.

— Хотела бы тебя порадовать, но... Ставьте вдоль окон, — скомандовала Бри, когда рабочие внесли два длинных стола. Надо накрыть их льняной скатертью и сервировать на них легкие закуски, сладкие деликатесы, чтобы гости могли подкрепиться во время бала. — Доктор Франко признает, что физически я окрепла, но остальное под сомнением. К тому же возникло много дополнительных сложностей.

Беннет повернул ее руку так, что бриллиант заиграл на свету.

— И это одна из них?

Бри напряглась на мгновение, но тут же расслабилась.

— Да, но это временно. — Она вспомнила о термосе. — Беннет, хочу спросить о няне. Как ты считаешь, няня не кажется тебе странной?

— Няня? — удивился брат. — Она заболела? Никто мне не сказал об этом.

— Нет, нет, она не больна. — Бри колебалась, потому что тема была слишком щекотливой. И не решалась заговорить о подозрении, потому что это затронет чувства близких людей. Нельзя же взять и выпалить, что она подозревает старую няню? Или все-таки сказать и покончить с этим? — Няня стареет, а ты знаешь, что в определенном возрасте люди часто меняются...

— Маразм? У няни? — Беннет расхохотался. — Да она соображает лучше всех нас. А если она слишком надоедает своей опекой, все время о тебе печется, то потому, что любит тебя.

— Разумеется. Я понимаю. — Сомнения не исчезли, но затаились. Она подождет и понаблюдает.

— Ходят слухи, что вы с Ривом — пара влюбленных.

— О? — Бри приподняла бровь и невольно бросила взгляд на бриллиант. — Мы просто подыгрываем в затеянной не нами игре.

— Но это действительно только игра?

— И ты туда же. — Она нетерпеливо пошла к дверям террасы, говоря на ходу. — Я уже объяснялась по этому поводу с Александром.

— Но я спрашиваю не потому, что люблю совать нос в чужие дела. — Беннет неохотно поплелся за ней следом.

Они старались говорить тихо, потому что оба были возбуждены, а слуги славятся отличным слухом.

— Но ведь вполне объяснимо, что меня интересует...

— А ты проявил бы такое же участие, если бы помолвка была подлинной? — Ее ледяной тон многое объяснил без слов.

— Но я чувствую свою ответственность, ведь, в конце концов, это была и моя идея тоже.

— Твоя? — Она швырнула свой блокнот на столик.

Брат немного растерялся. Лучше было держать рот на замке. Меньше всего на свете он желал спорить с женщинами. Он всегда проигрывает им.

— Ну, признаюсь, это я указал папе, что постоянное присутствие Рива около тебя и то, что он живет во дворце, может вызвать нежелательные слухи. И... О, черт?.. — Он не мог больше выносить надменный отчужденный взгляд Бри и, замолчав, взъерошил волосы. — Ты понимаешь, как быстро распространяются сплетни...

— Почему меня должны волновать сплетни? Они раньше меня расстраивали?

— Тебе не приходилось с ними иметь дело. Послушай, Бри, я, может быть, самый юный в семье, но именно я сталкивался часто с таблоидами.

— И заслуженно, как я понимаю.

— Да, справедливое замечание. — Он тоже постепенно закипал. — Но я сам выбрал такой путь, а ты — нет. Твое имя сейчас всюду, о тебе сплетничают. И пусть лучше ты разозлишься на меня, чем пострадаешь снова.

Бри могла, конечно, заставить брата замолчать. Имела право сказать, чтобы он не пытался лезть в ее дела. Но своими вопросами Беннет разбередил рану, о которой и не догадывался. Она снова взглянула на кольцо с бриллиантом — однажды она взглянет на руку, и его не будет там. Вот что ранило ее больше всего, а не слухи.

Она могла злиться и негодовать, но любовь уже пронизала ее существо и согревала. А брат был слишком молод, и он переживал за нее.

— Перестань, Беннет. — Она обвила руками его шею. — Мне бы надо обозлиться на тебя, но я не могу.

Он щекой прижался к ее волосам.

— Я догадался, Бри, прости, не знал, что ты влюбилась.

Она могла все отрицать и сохранить остатки гордости, но вместо этого только покачала головой и тяжело вздохнула:

— Я тоже не думала, что так выйдет.

Отстранившись от брата, она увидела, как лакей вводит в залу двух женщин. Она знала, что Кристину Гамильтон с сестрой сразу проведут к ней, как только они появятся.

Бри изучила внешность подруги по фотографиям и сразу узнала высокую, очень красивую брюнетку в костюме от Сен-Лорана. И ничего не испытала, кроме чувства паники.

Что ей делать? Броситься навстречу с объятиями или ждать с улыбкой, когда гостьи подойдут? Быть вежливо любезной или дружески непосредственной? Как же ей надоела эта амнезия.

— Она твоя лучшая подруга, — пробормотал Беннет ей на ухо. — Ты говорила, что у тебя есть не только братья по рождению, но и сестра по счастливому случаю. Это Кристина.

Этого было достаточно, чтобы паника утихла. Войдя, гостьи церемонно присели, при этом младшая не сводила глаз с принца, а старшая с ласковой усмешкой смотрела на Бри. И, повинуясь инстинкту, Бри пересекла комнату, протянула обе руки. Кристина тоже поспешила навстречу.

— О, Бри, — Кристина разглядывала ее на расстоянии вытянутой руки. Ее глаза были нежны, но полны смешинок, красивый волевой рот улыбался, — ты выглядишь замечательно. Замечательно!

И Бри очутилась в сильных объятиях. От Кристины пахло дорогими незнакомыми духами, запах был приятен. Паника ушла и не вернулась.

— Я так рада тебя видеть, — сказала она и поняла, что действительно это так. Ей нужен был друг, не семья, не любовник, а друг. — Вы, наверное, устали.

— О, длительный перелет оставляет меня в состоянии нервного возбуждения. А ты похудела.

Бри улыбнулась.

— Всего на пять фунтов.

— Только на пять! — Кристина закатила глаза. — Недавно я побывала в дорогом спа, несколько месяцев назад. И там набрала пять фунтов. Принц Беннет. — Кристина протянула руку для поцелуя. — Неужели это воздух Кордины делает всех таким такими цветущими?

Беннет, желая проявить галантность, чуть коснулся губами руки Кристины и, глядя на Еву, произнес:

— А воздух Хьюстона, кажется, творит волшебство.

Кристина не упустила взгляда принца. Она и не ожидала другой реакции. На Еву обращали внимание мужчины, и это начинало серьезно беспокоить старшую сестру.

— Принц Беннет, — сказала она, — вы еще не встречались с моей сестрой, Евой.

Беннет уже держал руку Евы. И его губы прижались к ней чуть дольше, чем требовали приличия. Он отметил все: роскошные темные волосы, поэтический взор больших голубых глаз и рот, довольно большой, чувственный и красивый. И его сердце немедленно было взято в плен.

— Ваше высочество. Счастлива познакомиться.

Голос Евы был грудной и волнующий, тембр восхитителен, как и ее роскошные волосы.

— Ты такая красивая, Ева, — сказала Бри. — Я так рада, что вы приехали.

— О, здесь все так, как вы описали, — улыбка девушки была ослепительна и естественна, как солнечный луч, — правда, я еще так мало видела.

— Я могу помочь, — Беннет оттеснил сестру от Евы, — я вас провожу, покажу дворец и окрестности, пусть Бри и Крис побудут вместе, им есть о чем поговорить. — И, поклонившись дамам, повел Еву из комнаты. — Что бы вы хотели увидеть в первую очередь?

— Ну и ну, — Бри не знала, сердиться или смеяться, глядя вслед молодой парочке, — он действительно времени не теряет.

— Ева и сама не возражает. — Кристина раздумывала некоторое время, что делать с сестрой, потом, решив, что не может всегда быть при ней дуэньей, улыбнулась: — Ты очень занята?

— Не очень, — Бри мысленно перебрала расписание дел на сегодня, — вот завтра у меня не будет ни минуты свободной.

— Тогда и мы не будем терять времени. — Кристина продела руку под локоть Бри. — Не верится, что прошел целый год, нам есть о чем поговорить. Ты можешь попросить подать чай и какой-нибудь кекс в твою гостиную? Как раньше. Надо многое обсудить.

Если бы знать мысли подруги по колледжу, думала Бри, пока они шли по коридору в ее комнаты, потому что она понятия не имела, как себя вести.

— Расскажи мне о Риве, — попросила Кристина, беря с подноса глазированное розовое печенье.

Бри, прежде чем ответить, долго и задумчиво мешала ложечкой в чашке, хотя забыла положить туда сахар.

— Не знаю, право, что рассказать.

— Все, — драматически произнесла Кристина, — я хочу знать все с самого начала. Сгораю от любопытства. — Сбросив туфли, она с ногами забралась на диван. Возбуждение от долгого перелета постепенно улеглось. Она, конечно, заметила замешательство подруги, но отнесла это на счет нервного напряжения накануне бала. — Внешность можешь опустить. — Она махнула рукой с половиной печенья, вторая половина была уже во рту. — Каждый раз, когда я брала в руки журнал, с обложки смотрело его лицо.

Бри вспомнила прогулку на яхте, поездки на автомобиле, обеды и ужины, когда Рив сидел рядом и, время от времени склоняясь к ее уху, нашептывал свои замечания, отличавшиеся наблюдательностью и точностью характеристик.

— Мне с ним интересно. Он очень сильный, умный и немного гордец, — улыбнулась она.

— Да, ты, кажется, попалась, — Кристина следила за выражением лица подруги, — и я рада за тебя.

Бри хотела засмеяться, но лишь скривила губы и, скрывая растерянность, поднесла чашку к губам.

— Ты скоро с ним познакомишься и сама сможешь составить мнение.

— Хммм. — Кристина замешкалась, рассматривая печенье, и, наконец, выбрала самое красивое. — Кое-что меня все-таки беспокоит.

— Что именно? — Бри насторожилась. — Что, скажи мне.

— Где ты встретила его? Не могу поверить, что ты встретила этого совершенно замечательного, умного и гордого мужчину в прошлом году в Штатах, а потом пробыла со мной в Хьюстоне целых три дня и не обмолвилась о нем ни словом.

— О, королевские особы так воспитаны, их приучают быть сдержанными. — Бри попыталась отшутиться и стала с серьезным видом выбирать печенье.

— Но, послушай, ты тогда сказала, что в твоей жизни нет мужчины, к которому ты испытываешь нежные чувства, и мужчины тебя вообще не интересуют. А я охотно поддержала тебя, потому что как раз только что разорвала отношения и была очень зла на сильный пол.

Бри почувствовала, что безнадежно увязла во лжи.

— О, наверное, я еще не была уверена в своих чувствах. Или в его.

— Но как вы, не будучи толком знакомы, вдруг воспылали любовью друг к другу?

— Наши семьи всегда поддерживали связь, и знаешь, Рив был в Кордине на моем дне рождения, когда мне исполнилось шестнадцать.

— Не хочешь ли ты сказать, что именно тогда в него и влюбилась?

Бри не знала, что отвечать. Она не помнила того дня.

Неожиданно Крис нашла эту идею милой.

— Послушай, тогда это вполне объясняет твое равнодушие ко всем тем интересным мужчинам, которых мы встречали в Париже. Я счастлива за тебя. — Она положила руку на руку Бри дружеским жестом, и Бри почувствовала, как от такого уча-

стия ее глаза наполняются слезами. — Я рада, что
он был рядом с тобой, когда... — Крис спустила
ноги на пол и серьезно посмотрела на подругу. —
Послушай, я не хочу настаивать, но хотелось бы
узнать все от тебя самой и поговорить откровенно.
Пресса была полна слухов, и, как я понимаю, до
сих пор никто не понес наказания...

— Полиция ведет расследование.

— Но они так никого и не поймали, и ты не
можешь чувствовать себя в безопасности с тех
пор.

— Нет, не могу. Я себя ловлю на том, что, как
бы ни была занята, иногда меня охватывает тягост-
ное предчувствие беды.

— О, моя милая Бри, — Крис обняла подругу, — я так испугалась за тебя. — Она смахнула
непрошеную слезу. — Ты знаешь, каждый раз,
когда я читала эти дикие заголовки, я просто схо-
дила с ума.

Бри попыталась взять себя в руки и прекратить
опасный разговор.

— Забудь об этом, все кончено.

Слезы высохли. Кристина не могла понять подругу и даже обиделась на такое явное нежелание
посекретничать. Помолчав, она потянулась за своей сумкой.

— Нет. Не уходи! — воскликнула Бри, в которой боролись противоречивые чувства: желание
выговориться, довериться и привычная осторожность. Она внимательно взглянула на подругу и
вдруг решилась: — Мы ведь хорошие друзья?

Крис не смогла сдержать удивления и обиды:

— Бри, почему ты...

— Нет, просто скажи мне.

Кристина положила сумку на место.

— У меня есть родная сестра, я очень люблю ее, — сказала она, — и нет ничего такого на свете, что бы я для нее не сделала. И то же относится к тебе, я так же люблю тебя.

Бри закрыла глаза на мгновение и сказала:

— Сядь, Крис.

Усадив подругу, она села рядом и рассказала ей все. Кристина, бледная, с широко раскрытыми глазами, перебила ее только два раза, уточняя. Потом долго сидела внешне спокойная, хотя внутри у нее кипело, как внутри вулкана.

— Вся эта история дурно пахнет, — наконец потехасски грубо отреагировала она.

Бри удивилась:

— Прости?

— Политика всегда дурно пахнет, и американцы первые это сказали, а твоя история только подтверждает. Она воняет.

И почему-то грубоватая реплика принесла Бри долгожданное спокойствие. Она вздохнула и взяла печенье из корзинки.

— Но я не могу винить политиков.

— Да что еще ты могла сделать? — Крис подошла к шкафчику из красного вишневого дерева. Она негодовала, ей хотелось что-нибудь разбить или сломать. — Тебе ничего другого не оставалось. Слабая, испуганная, лишенная памяти.

— Да. Именно так и было, — пробормотала Бри.

Кристина открыла шкафчик и достала оттуда хрустальный графин с бренди.

— Мне надо выпить. — Она налила себе бренди. — Тебе налить?

— Пожалуй. — Бри кивнула с отсутствующим видом. Она даже не знала, что в шкафчике есть бренди.

Рука Кристины дрогнула, бренди выплеснулось через край, и она, негромко выругавшись, пальцем вытерла капли.

— Ты вспомнишь. — Она протянула Бри стакан. Ее глаза горели решимостью. — Ты вспомнишь, потому что ты слишком упрямая и настойчивая, чтобы не вспомнить.

Впервые Бри стало легко. Она поверила словам подруги. Прикоснувшись краем стакана к стакану Крис, она сказала:

— Спасибо.

— Если бы я не позволила себя уговорить, я была бы здесь еще три недели назад. — Крис произнесла еще несколько энергичных и неблагозвучных выражений в адрес политики. Села на ручку кресла. — Послушай, собрать бы троих: этого Любэ, твоего отца и Рива Макги — и отхлестать кнутом. Может быть, они бы поумнели.

Бри одобрительно хмыкнула. Ей недоставало именно этого. Она устала от чрезмерной опеки и постоянного давления.

— Мой отец поступает так, как считает лучше для меня и для страны. Любэ — только для страны. Я не могу их за это винить.

— А Рив?

— Рив. — Она посмотрела на подругу. — Я люблю его.

— О. — Крис стала серьезной. Она уже решила, что останется в Кордине до тех пор, пока все не выяснится. — Значит, эта часть игры подлинная.

— Нет, — на этот раз Бри удержалась и не посмотрела на кольцо, — не совсем. Только мои чувства подлинные. Остальное все как я рассказала. Ну, хватит об этом. — Хотя она не хотела, чтобы ее жалели, она надеялась на сочувствие.

— Если ты его хочешь — ты его получишь.

Бри стало и смешно и любопытно.

— Каким образом?

Кристина сделал глоток бренди.

— Если ты не помнишь всех мужчин, которые падали к твоим ногам, то я тебе скажу: ты всех их отвергла, но я не стану их перечислять, потому что это ущемляет мое самолюбие. Хотя они все равно тебя не стоили.

— Почему ты так считаешь?

— Потому что они мужчины, — Крис скрестила ноги в шелковых чулках, — и все они *паршивцы*.

— Неужели все? — Бри казалось, что она уже слышала эти слова. Она невольно улыбнулась: — Неужели каждый?

— Все холостые, будь они прокляты.

— Крис. Я так рада, что ты приехала.

Крис погладила ее по щеке.

— Я тоже. А теперь почему бы нам не пойти в мою комнату, ты поможешь выбрать платье для сегодняшнего вечера.

Когда Рив зашел позже в гостиную, он не застал там Бри. Увидел полупустую корзинку с печеньем, остывший чай и пустые стаканы из-под бренди. Интересно. Он знал, что Бри почти не пьет, тем более днем. Значит, она была либо расстроена, либо наоборот — в хорошем настроении.

Ему сказали, что она принимает у себя Кристину Гамильтон, из известной семьи Гамильтон в Хьюстоне. Покачиваясь на каблуках, он задумчиво смотрел на остатки пиршества и вспоминал, что узнал о Кристине. Он провел тщательное расследование, потому что не мог упустить ни малейшего проявления опасности для Бри. Он позвонил другу в полицейское управление округа Колумбия, который был ему многим обязан, и скоро знал о ней все — от даты рождения до счета в банке. Ничего не найдя предосудительного, он все же чувствовал некоторое сомнение. Но быстро понял, что его подозрительность скорее похожа на ревность. Он ревнует. Потому что Бри проводит время не с ним. Он раньше и представить не мог, что будет так привязан к женщине, что не сможет без нее прожить и дня. Но чтобы он был таким глупцом?

Нет. Это ради ее безопасности, напомнил он себе. Его чувства были запутаны, там было все — любовь, естественное сочувствие и жалость. Но когда она вспомнит, все изменится. И может быть, для него это к лучшему. Хотя в глубине души Рив не хотел перемен, не хотел ее терять.

В комнате пахло цветами, но он тем не менее улавливал ее запах. Это был влекущий, волнующий аромат ее кожи, французских духов, тонкий и очень чувственный. Он представлял, как она сидит в своем кресле, потягивает чай и откусывает печенье с отсутствующим видом, безразлично, потому что у нее нет пристрастия к сладкому. Она вообще мало ест.

Наверное, она испытывала неловкость в присутствии подруги, которой не помнила. Ей было трудно.

Почему он так волнуется? Он был единственным человеком, не связанным с прошлым, которого она не помнит. Не было многих лет дружбы, не было тех отношений, которые либо делают людей друзьями, либо отталкивает друг от друга. У них было только настоящее. И еще одна ночь, давно, когда он танцевал с ней на террасе при лунном свете, десять лет назад.

Он просто глупец. Вообразил, что она, даже если и не потеряла бы память, вспомнила его. Те несколько танцев с мужчиной в шестнадцать лет. Только потому, что он запомнил ее навсегда. И никогда не сможет забыть. Он был влюблен в нее все эти годы? Жил с ее образом в сердце?

Он взял серьги, небрежно брошенные на стол. Элегантного дизайна, бриллианты, оправленные в золото. Бри — натура сложная, она настоящая женщина. Он держал в руках серьги и думал, что находится во власти образа, который когда-то запал ему в душу.

Он узнал много подробностей из ее жизни, и они не всегда касались того дела, по которому его позвали. Например, она любила принимать ванну очень горячей. Собирала старые фотографии, признавалась, что однажды видела сон, что танцует в Королевском балете. И когда ей было пятнадцать, думала, что влюблена в молодого садовника.

Эти мелочи, которых она не помнила, он украл из ее дневника и писем, которые читал. Но когда она вспомнит, понравится ли ей, что он так глубоко проник в ее жизнь без ее разрешения?

Он знал теперь, что двое украли ее прошлое. Знал, кто они и какова причина похищения. Ради ее же безопасности он пока не мог ей сказать об этом. Только оберегать и наблюдать, быть все время рядом. Но когда все кончится, что будет дальше, изменит ли она отношение к нему?

Он перешел тонкую грань, переступил, потому что не мог упустить ни малейшего шанса.

Он услышал, как открылась дверь спальни, и замер с сережкой в руке.

— Да, спасибо, Бернадетта. Ты не нальешь мне ванну? Я сама займусь волосами. Мы сегодня обедаем только семьей.

— Да, ваше высочество.

Горничная прошла в ванную, послышался шум воды. Рив вообразил, как Бри раздевается. Медленно расстегивает пуговицы на блузке, в которой он видел ее утром. Странно, он видел, как она одевается утром, но не видел, как раздевается. Когда он приходит, она либо в халате и ночной рубашке, либо лежит в постели раздетая.

Он положил сережку, чувствуя, как его влечет к Бри непреодолимая сила, и пошел в спальню. Она стояла перед зеркалом, но еще не сняла одежды. На туалетном столике — открытая шкатулка, она брала оттуда заколки одну за другой и закалывала наверх волосы. Было видно, что ее мысли далеко, на губах играла довольная улыбка. Она редко так улыбалась.

Вошла горничная, достала халат из шкафа. Если она и увидела Рива в дверном проеме, то сделала вид, что не заметила. Положила халат на постель. Бри взяла последнюю заколку.

— Спасибо, Бернадетта. Ты больше не будешь мне нужна сегодня. До завтра. — И добавила с улыбкой: — Я тебя еще замучаю.

Горничная присела и закрыла за собой дверь. Он ждал. Бри закрыла шкатулку и, легко вздохнув, сбросила туфли, потянулась. Потом включила плеер. Мелодия наполнила спальню, мягкая и негромкая, одна из тех, что льются из окон в теплые летние ночи. Бри расстегнула серые брюки и, когда они упали к ногам, перешагнула через них. Рив смотрел, как она подняла их, разгладила и положила на кровать.

Слушая музыку, она медленно, одну за другой, расстегнула пуговки на блузке. Под ней было белье с шелковыми кружевами перламутрового цвета. Спустила бретельку с плеча. Он шагнул вперед:

— Габриела.

Она не вскрикнула от неожиданности, не вздрогнула, потому что узнала голос. И медленно повернулась, безошибочно угадав в нем желание и волнение. Он больше не приближался, но и на расстоянии ей передавался жар в его крови и волна чувственности. Солнце было еще ярким и освещало комнату, но ее мысли уже были в темноте ночи, когда они могут отдаться страсти.

Бри молча протянула руку.

Рив подошел.

Их прикосновения говорили без слов. *Ты моя. Я ждала тебя. Я с ума схожу по тебе.* Их губы слились. *Это то, о чем я мечтал. Мне нужна ты, и только ты.*

Она сама раздела его. Оба были напряжены, испытывая нетерпеливое ожидание, такое острое, что причиняло боль. Так и не произнеся ни одного слова, они опустились на постель. Он никогда не думал, что так страстно можно желать женщину. И он так любил ее, что не думал о себе в этот момент, только о том, чтобы дать ей все, что в его силах. Он был на верху блаженства, что может касаться ее нежной кожи, вдыхать ее запах, ощущать рядом с собой эту женщину, такую нежную и такую сильную. Она заставила его забыть прошлую жизнь. Он забыл все, что было до Габриелы. Провел рукой по ее груди, через тонкий шелк чувствуя теплоту кожи, соперничавшей с самим шелком, дразнящей воображение и соблазнительной. Ее руки тоже не бездействовали, гладили, трогали, давали наслаждение и искали его. Страсть вспыхнула, поцелуй длился так долго, пока им хватило дыхания. Необыкновенно сладостное, нежное чувство овладело ими.

Она сдалась первая, обессилев, и тогда шелк был сдвинут нетерпеливой рукой, и оба вступили на путь, который вел к вершинам. Их движения были согласованными, никто не был ведущим или ведомым, оба растворились в долгожданном обладании.

Ее пальцы крепко вцепились в его плечи, глаза были открыты. Он погружался взглядом в их глубину, видел игру света в ее волосах, мерцание глаз, затуманенных наслаждением, а негромкая музыка плыла по комнате.

Им не надо было контролировать страсть, они просто старались продлить моменты обладания как можно дольше.

Она знала, что навсегда запомнит эти мгновения. Возможно, ей придется снова забыть все, но это — нет. Эти мгновения останутся в ее памяти. Они не торопили конец, оба сознательно затягивали его приближение, чувствуя неповторимость момента. Она почувствовала, как слезы наполнили глаза от сладкой горечи, когда они достигли высшей точки блаженства.

Потом они долго лежали неподвижно, и вечерний свет мягко заливал комнату. Если бы не обязанности, они остались бы вместе до утра.

— Я так скучал по тебе.

Она удивленно посмотрела, приподнялась на локте.

— Правда?

— Я почти не видел тебя сегодня.

Глупо было бы рассказывать о том, какие мысли посещали его незадолго до этого. Он и сам не мог разобраться в них. Он улыбнулся и пригладил ее волосы.

— А я ждала, что ты поднимешься в бальную залу.

— Я приходил, но ты была занята.

Он мог уйти, безопасность обеспечивали трое с пистолетами под рабочими куртками, смешавшись с толпой обслуги и рабочих.

— Завтра будет вообще сумасшедший дом. — Она прижалась к нему. — Одних цветов надо расставить целое море, на это уйдет несколько часов. Потом вина, десерты, музыканты, ужин.

Она замолчала, о чем-то задумавшись. Он привлек ее к себе.

— Ты нервничаешь?

— Немного. Будет столько незнакомых лиц. Я думаю...

— О чем?

— Я знаю, как важен этот ежегодный бал для нашего центра и для Кордины. Но смогу ли я справиться?

— Ты уже сделала больше, чем можно было ожидать. Просто успокойся и поступай, как тебе подсказывает интуиция, и все будет в порядке.

— Я уже и начала так поступать. — Она заглянула ему в глаза. — Понимаешь, я все рассказала Кристине Гамильтон.

Он открыл рот от неожиданности, но ничего не сказал, передумал. Она ждала от него критики, негодования и даже гнева. Он видел в ее глазах выражение вины и одновременно готовность защищаться.

— Но почему?

В его голосе не было ни капли возмущения, только желание понять. Она вздохнула с облегчением.

— Я не смогла ей лгать. Может быть, я не помню, зато чувствую, что могу ей доверять. И она мне нужна сейчас. — Потом, помолчав, с отчаянием в голосе произнесла: — Ты меня считаешь глупой.

Она села на постели, и он последовал ее примеру.

— Нет, — ободряя, положил руку на плечо, — расскажи, что ты чувствовала.

Она взглянула на него немного виновато.

— Мне нужна была подруга, с которой я могу выговориться. — Он смотрел на ее виноватое лицо в ореоле каштановых волос, чуть взлохмаченных, падавших на плечи цвета слоновой кости. Он находил ее сейчас особенно очаровательной. — В моей жизни много мужчин, они все заботятся обо мне, охраняют, приказывают, как себя вести. Я хотела поговорить с женщиной.

Он поднес ее руку и губам.

— Конечно, и ты совершенно права. — Как они раньше не подумали? Она права. Братья. Отец, доктора, любовник. Но только женщина, подруга, могла дать ей то общение, в котором она так сейчас нуждалась. — И это помогло?

— Да. Я поняла сразу, что Крис для меня близкий человек, и мне нужна именно она.

— Что она сказала?

— Что вся история дурно пахнет и еще... — Бри, вспомнив подругу, хихикнула, что стало для Рива неожиданностью, — что вас всех: Любэ, отца и тебя — надо как следует отхлестать кнутом.

Он хмыкнул:

— Она, кажется, умная женщина.

— С ней очень легко, она не трясется надо мной, не смотрит так, как будто я не такая, как все.

— Мы так смотрим на тебя?

— Иногда. — Бри отбросила с лица волосы. Ее взгляд говорил, что она ищет понимания. — Крис все выслушала, высказала свое категорическое мнение, а потом мы пошли выбрать ей платье для вечера. Между нами отношения складывались так естественно и легко, как будто и не существует провала в памяти. Мы просто друзья, как раньше, и мы остаемся ими. Не знаю, как тебе объяснить...

— И не надо. Но я должен с ней поговорить.

— О, она сама на это рассчитывает, — Бри поцеловала его быстрым благодарным поцелуем, — и спасибо тебе.

— За что?

— Что не стал мне выговаривать и объяснять, что я не должна была этого делать.

— Ты вольна принимать решения. Кстати, последнее слово всегда было за тобой.

— Ты так думаешь? — Она засмеялась и сменила тему: — Моя ванна остыла. Ты меня отвлек.

Он провел легонько пальцем по ее груди, и ласка не осталась без ответа.

— Ты можешь потереть мне спинку.

— Звучит заманчиво, но дело в том, что тогда я не успею принять свою ванну.

— Нет проблем. — Она встала с постели и увлекла его за собой. — Я часто думала, что моя ванна слишком велика даже для двоих. Я вполне могу разделить ее с тобой. — Она стояла обнаженная, залитая мягким вечерним светом. — У нас еще больше часа до ужина.

Глава 12

Блеск, пышность и фантазия — все присутствовало на этом дворцовом бале. Королевские особы, знаменитости и тугие кошельки наслаждались роскошью, утонченностью и изысканностью. Пять люстр баккара сверкали россыпью огней, блестел паркет, его цвет можно было определить как цвет столетнего меда. Серебро, хрусталь, белые льняные скатерти и целый океан цветов. Но убранство меркло перед туалетами дам из шуршащего шелка. Блеск бриллиантов еще более оживлял веселые, красивые лица.

Бри встречала гостей, стараясь не показать утомления. Она работала в режиме нон-стоп уже двенадцать часов. И добилась совершенства. От чего не могла не испытывать удовлетворения. Золушка на первом балу. Но Золушке из сказки не пришлось так долго работать с флористами.

Калейдоскоп роскошных туалетов, экзотические ароматы, смена лиц, бесконечное количество новых имен, которые она выучила наизусть и держала в голове, требовали чрезвычайного умственного напряжения.

Отец стоял рядом, одетый в парадный придворный костюм, выправкой напоминая, что когда-то был неплохим солдатом. Бри восхищалась им — он выглядел божественно: красивый, величественный и властный. Перед ней приседали, целовали руку, она обменивалась с каждым гостем короткими фразами приветствия, прежде чем передать его Риву и братьям. Она продумала все до мелочей и теперь пожинала плоды. Она улыбнулась высокому мужчине в черном шелковом фраке с гривой белоснежных волос. Это был один из самых известных актеров современности, которого английская королева пожаловала в рыцари. Он взял протянутую руку, но поцеловал Бри в щеку. Она знала, что он качал ее колене, когда она была ребенком.

Рив украдкой наблюдал за ней. Она была ослепительна. Прекрасна как никогда. Он был рядом — ее телохранитель, поддержка, спутник, как ей угодно. Теперь, когда Бри вышла из состояния нерешительной задумчивости, она, полная сил и надежды, уверенно и привычно выполняла обязанности принцессы. Но для него она была не только принцессой. Она была чертовски соблазнительной и желанной женщиной. Его женщиной. Во всяком случае пока.

Она выглядела как сказочная принцесса и в то же время была очень похожа на ту девушку с бриллиантовой диадемой в волосах, которую Рив встретил десять лет назад. И сейчас в ее волосах переливались бриллианты. Бриллианты также покачивались в ушах, на шее блистало бриллиантовое колье, а палец украшал большой бриллиант, его бриллиант.

К сверканию камней она выбрала ледяной оттенок платья. Пламень и лед. То, из чего была создана сама. Холодный белый шелк ниспадал от оголенных плеч, расширяясь книзу складками до полу. Ярды и ярды белого шелка. Платье королевы. Она была недоступной королевской особой и выглядела таковой. Но он знал, какой огонь может разгораться под этой внешней холодностью.

Когда мужчине выпадает в жизни шанс любить такую женщину, разве он сможет когда-нибудь заменить ее на другую?

— Ты видел ее? — тихо, склонившись к уху Рива, спросил его Беннет.

Он видел только одну женщину, но хорошо знал Беннета.

— Кого?

— Еву Гамильтон. — В голосе молодого повесы звучало восхищение. — Она просто фантастически хороша.

Стоявший рядом Александр, услышав эти слова, отыскал взглядом в толпе ту, про кого говорил младший брат, но не выразил одобрения. На ней было скромного, даже консервативного фасона платье, что не соответствовало его насыщенному красному цвету.

— Она еще ребенок, — пробормотал он, — хотя не по годам физически развита.

— Тебе нужны очки, — Беннет улыбнулся, целуя руку почтенной матроне, — или витамины.

Вереница гостей казалась бесконечной. Бри уговаривала себя, что эти мучения она должна терпеть ради благотворительной цели бала. Когда последний фрак и блеск украшений миновали, она вздохнула с облегчением. Музыка означала передышку.

Оркестр, повинуясь ее знаку, заиграл вальс, раздались его первые волнующие такты, оркестр знал свое дело. Она протянула руку Риву, и они стали парой, открывшей бал. Когда они понеслись по паркету, она подумала о том, что рано или поздно бал кончится и их ждет ночь любви.

— Ты сегодня прекрасна.

— Мой кутюрье просто волшебник.

Он позволил вольность на публике — поцеловал ее.

— Я не это имел в виду.

Она засмеялась, и сразу усталость исчезла. Князь Арманд танцевал с сестрой короля в изгнании.

Александр выбрал дальнюю кузину из Англии. Беннет кружил Еву Гамильтон. Бал начался. Все, как и было задумано, казалось сказочным, волшебным. Черная икра, французское шампанское, скрипки. Нефтяные бароны бок о бок с лордами. Леди обменивались сплетнями о знаменитостях. Бри думала, что ей скоро наскучит исполнять обязанности хозяйки, но нашла, к своему удивлению, что ей это доставляет удовольствие, и сама наслаждалась балом. Танцуя с доктором Франко, она со смехом спросила:

— Вы пытаетесь сосчитать мой пульс?

— Вижу, что вы почти здоровы.

— Я начинаю думать, что совсем скоро окончательно поправлюсь.

— Были снова видения?

Она сжала его пальцы.

— Мы не в вашем кабинете.

— Бри выглядит счастливой, — заметила Кристина, танцуя с Ривом.

— Ваш приезд ей помог.

Она взглянула на него. Хотя они уже имели беседу наедине, он не смог ее до конца успокоить.

— Надо было мне приехать раньше.

Эта женщина нравилась Риву, особенно своим острым языком.

— Вы все еще считаете, что меня надо отхлестать кнутом?

— Не знаю, надо обдумать.

— Я хочу для нее самого лучшего.

Крис усмехнулась:

— Вы глупец, если до сих пор не знаете, что именно для нее лучше.

Бри, лавируя в толпе, увидела Джанет Смитерс, скромно стоявшую в углу с бокалом вина.

— Джанет, — она удержала ее от придворного поклона, — я боялась, что вы не захотите прийти.

— Я опоздала, ваше высочество. Надо было закончить работу.

— Никакой работы сегодня вечером. — Бри осматривалась в поисках партнера для своего секретаря. — Вы прекрасно выглядите, Джанет. — И действительно, платье помощницы сегодня можно было назвать элегантным.

— Ваше высочество, — подскочил к ним Любэ, — мисс Смитерс...

— Месье Любэ. — Бри улыбнулась, решив, что он подойдет для роли партнера Джанет.

— Бал, несомненно, великолепен, как всегда.

— Благодарю. Ваша жена ослепительна.

В его улыбке мелькнули гордость и удовольствие от комплимента.

— Но она оставила меня. Ваше высочество не согласится скрасить мое одиночество и потанцевать со мной?

— Разумеется, — Бри допила вино и с облегчением увидела возникшего рядом Александра, — но я обещала этот танец брату. — Она многозначительно посмотрела на Александра, тронув его за рукав. — Но мисс Смитерс вам не откажет.

И довольная, что обеспечила Джанет партнера, приняла руку Александра.

— Не очень вежливо, но сработало.

— Не хочется видеть, как она простоит одиноко в углу всю ночь. Теперь еще кто-нибудь ее пригласит.

Брат приподнял брови.

— Надеюсь, ты не имеешь в виду меня?

— Если будет нужно. — И улыбнулась: — Долг прежде всего.

Александр посмотрел через плечо сестры — в танце хромота Любэ была почти незаметна.

— Кажется, ей не очень нравится партнер.

— Значит, все-таки вкус есть.

— Алекс! — сказала Бри укоризненно, но тут же засмеялась: — Я еще не успела сказать, что сегодня ты просто великолепен. Вы оба красавцы — и ты, и Беннет. Кстати, а где Беннет?

— Он совершенно монополизировал маленькую американку.

— Ты имеешь в виду Еву? Она не такая уж маленькая. Она, кажется, одних лет с Беннетом.

— Но он должен был подумать, прежде чем флиртовать столь откровенно на виду у всех.

— Пока я вижу, что это увлечение носит односторонний характер.

— Ее старшей сестре надо бы держать ее в узде.

— Алекс! — Бри с деланым негодованием закатила глаза.

— Ладно, ладно, — отмахнулся Александр. Сам он искал глазами брюнетку в красном платье.

Бри уже потеряла счет танцам, бокалам выпитого вина, кавалерам, их историям и шуткам. Все шло гораздо лучше, чем она ожидала. Не стоило так переживать, она справилась и даже получала удовольствие от бала, забыв о волнениях. Особенно когда очутилась вновь в объятиях Рива.

— Слишком тесно, — пробормотал он ей на ухо и, ловко двигаясь между танцующими, повел ее к террасе. И там, при лунном свете, они продолжили танец.

— Как здесь красиво.

Светила луна, благоухали большие бело-кремовые цветы, воздух был свеж, без примеси духов и одеколона от разгоряченных тел.

— Принцесса и должна танцевать под звездами.

Она хотела рассмеяться, взглянула на него, и вдруг его лицо стало расплываться, как будто она теряла четкость зрения. Нет, оно становилось другим. Моложе? Глаза не такие жесткие, и аромат цветов изменился. Теперь это был аромат роз, приторный и сладковатый.

Мир стал серым. Музыка исчезла...

Рив подхватил ее, когда она покачнулась.

— Бри? — Он хотел взять на руки и отнести на кресло, но она его остановила.

— Нет, все прошло. Немного закружилась голова. Как будто... — Она взглянула на Рива так, как будто видела впервые. — Мы уже были здесь, — прошептала она потрясенно, — ты и я, на моем дне рождения. Мы вальсировали на террасе, и здесь в горшках вдоль стен цвели красные розы. И когда вальс кончился, ты поцеловал меня.

И потерял голову.

И я влюбилась.

Она не произнесла этих слов, только смотрела широко раскрытыми глазами. Она влюбилась в него в шестнадцать лет, и вот, спустя столько времени, ничего не изменилось. И изменилось все.

Он держал ее за плечи.

— Ты вспомнила.

— Да. — Голос был так тих, что он наклонился, чтобы слышать. — Я помню. Помню тебя.

Он боялся подталкивать ее воспоминания, опасаясь непредвиденных последствий, и поэтому осторожно спросил:

— Ты помнишь что-то еще? Или только эту ночь?

Она покачала головой и вдруг поняла, что возвращение памяти вызывает боль.

— Я не могу. Мне надо немного прийти в себя. Побыть одной.

— Хорошо. — Он взглянул в зал — все равно она не сможет пройти теперь через толпу. Он повел ее по террасе к другим дверям. — Я отведу тебя в твою спальню.

— Нет. Лучше в кабинет, он ближе. — Она с трудом сделала несколько шагов. — Мне надо просто посидеть и подумать. Там никто меня не побеспокоит.

Он повел ее туда, потому что действительно кабинет был ближе, понадобится меньше времени, чтобы позвать доктора. И сказать Арманду, что память вернулась и надо предпринять следующие шаги. Произвести аресты незаметно и немедленно.

Бри охраняют. Ведь Арманд сказал, что за ней ведется непрерывное наблюдение, кроме него есть невидимые секьюрити.

В кабинете было темно. Но Бри его остановила:

— Не включай. Я не хочу света.

— Послушай, я посижу с тобой.

— Рив, прошу, дай мне побыть одной.

Он поборол неприятное чувство, что его отвергают.

— Хорошо. Я пойду за доктором.

— Как хочешь. — Она сжала кулаки, так что ногти вонзились в ладони.

— Никуда отсюда не уходи. Оставайся здесь, пока я не вернусь. Отдыхай.

Она подождала, пока он закрыл дверь. Потом прилегла на небольшой диван, стоявший в углу комнаты, у нее не осталось сил.

Воспоминания накатывали волнами, вызывая необыкновенное волнение. Она раньше думала, что, когда все вспомнит, испытает облегчение и тот невидимый обруч, который сжимает мозг, не давая памяти вырваться, наконец лопнет и она освободится от напряжения. Но вместо этого пришла паника.

Она вспоминала мать и похороны. Боль потери, свое сиротство, жалость к отцу. Потом вдруг память подбросила Рождество и подарок Беннета — глупые розовые спальные туфли с загнутыми носами. И ссоры с Александром, вспышки злости на него.

Вот она на коленях у отца, уютно свернувшись, обвила руками его шею. Вот отец — такой прямой, строгий, прежде всего монарх.

Она влюбилась в Рива. Он похож характером на отца — гордый, волевой и сам делает выбор в жизни.

Она не осознавала, что плачет, пока картины сменялись одна другой. В темноте слезы текли по щекам. Она закрыла глаза и задремала.

— Послушайте меня! — Бри очнулась от близкого шепота.

Она уже слышала где-то эти голоса. Они были знакомы, и теперь она знала, где их слышала. Если память подбрасывает ей очередное воспоминание, она не хочет вспоминать *об этом*. Но шепот раздался вновь, и он был наяву.

— Надо все сделать сегодня же.

— А я говорю, что этого делать нельзя. Слишком опасно.

Все происходит на самом деле. Она уже слышала эти голоса, это были те же люди. И они находятся на террасе, прямо под распахнутыми окнами кабинета. Бри села, слезы высохли. В этот раз она узнала, кто они.

Она была так слепа? Так глупа? Поднявшись с дивана, она старалась двигаться бесшумно. Память вернулась. Вспомнилась темнота и эти голоса, только на этот раз не было чувства страха.

— Следуйте плану, как намечено. Выманим ее из дома, затолкнем в машину и увезем в коттедж. На этот раз надо использовать более сильный наркотик. Ровно в час к Арманду поступит требование. Прямо на балу он узнает, что его дочь снова похищена и что надо делать, чтобы вернуть ее.

— Дебок.

— И пять миллионов франков.

— Вы снова со своими деньгами. — В голосе прозвучало презрение. Бри затаив дыхание, ждала, что будет дальше. — Для меня деньги не имеют значения.

— А я испытаю удовлетворение, когда Арманд заплатит их. Наконец-то получу вознаграждение после всех этих лет, и моя месть осуществится.

— Месть должна быть хладнокровной. Вы бы лучше устроили на него покушение.

— Я предпочитаю заставить его страдать, похитив его самую большую драгоценность.

— Постарайтесь на этот раз лучше сделать свою часть работы, или Дебок останется в тюрьме.

Они ненавидят друг друга. Как же раньше она этого не замечала? Ведь даже сегодня это можно было ясно увидеть. Она разговаривала с ними обоими и ничего не заподозрила.

Бри прислушивалась, но голоса смолкли, раздался удаляющийся стук каблуков по каменным плитам пола. Они использовали ее и отца. И все это время притворялись такими сочувствующими, такими преданными. Но все кончено, больше им не удастся ее заманить в ловушку.

Бри бесшумно пересекла комнату. Надо оповестить отца и немедленно схватить обоих. Она открыла дверь и оказалась лицом к лицу с одним из участников заговора.

— О, ваше высочество, — немного опешив, Джанет сделала шаг назад и почтительно присела, — не знала, что вы здесь. Осталось несколько документов, которые надо просмотреть.

— Но я же вам сказала, что на сегодня хватит работы.

— Да, ваше высочество. И все же...

— Отойдите в сторону.

Тон, которым Бри произнесла это, выдал ее. Она не смогла сдержать ярость, душившую ее. Джанет не колебалась. Из простой черной сумки она достала маленький черный пистолет, обернулась и направила его на охранника, возникшего из тени, он держал Джанет под прицелом. Но она выстрелила первой, раздался лишь приглушенный щелчок, и охранник упал. Бри рванулась к нему, но дуло уперлось ей в живот.

— Я выстрелю, и вы умрете медленно и мучительно.

— Но сейчас мне придут на помощь. Люди расставлены по всему дворцу.

— Значит, если не хотите, чтобы из-за вас погиб еще кто-то, сейчас же подчинитесь. — Джанет надо было любой ценой вывести принцессу из дворца, и она подтолкнула ее пистолетом.

— Вам не удастся выкрасть меня незаметно, — сказала Бри, — во дворце полно народу.

— Это не имеет значения. Ни один секьюрити не станет стрелять, если увидит, что вам угрожает. Я приставлю пистолет к вашей голове.

План шел под откос, но Джанет не могла предупредить сообщника. Они уже не смогут вытащить одурманенную наркотиком Бри, под покровом темноты с черного хода, где дежурили их люди, которым было заплачено. Не удастся затолкать бесчувственную и обессиленную Бри в багажник.

План был рискован, но хорошо организован. Казалось, все пройдет гладко.

— Что вы собираетесь со мной делать? Как вы собирались осуществить похищение?

— Я должна была передать вам записку, что американец срочно хочет поговорить с вами в вашей комнате. К тому времени его бы уже устранили. А для вас мы приготовили шприц с наркотиком. Как видите, все просто.

— Зато теперь нет!

Джанет тем временем подталкивала ее к двери на террасу и в темноту.

— Здесь так красиво, — Ева отбросила напускную строгость и решила просто получать удовольствие от вечера, — какая фантастика жить в таком дворце.

— Для меня это дом, и только. — Беннет обнял ее за плечи. Они смотрели вниз с высокой стены. — А я, между прочим, ни разу не был в Хьюстоне.

— О, даже не может быть никакого сравнения. — Ева повернулась и посмотрела на Беннета. Он был такой красивый и очень милый. Идеальный кавалер для бала и романтического позднего летнего вечера. И все же... — Я так рада, что приехала сюда. Хотя мне кажется, что принц Александр смотрит на меня с неодобрением.

— Алекс? — Беннет пожал плечами. — Он не собирался тратить время, обсуждая поведение брата, оставшись наедине при луне с красивой девушкой. — Он немного старомоден, вот и все.

Ева улыбнулась:

— Зато вы нет. О, я много читала о ваших похождениях.

— И все это чистая правда. — Беннет склонился и галантно поцеловал руку Евы. — Но сейчас меня интересуете только вы. — Он услышал чьи-то шаги, кто-то мог нарушить его планы. — Проклятье, и здесь невозможно уединиться. — Он увлек Еву в тень, и в это время Джанет вытолкнула Бри на террасу.

— Я никуда не пойду, пока все не узнаю, — защебетала Ева.

В лунном свете выделялось светлым пятном платье Бри. И вдруг Беннет увидел, как блеснул пистолет.

— О господи! — Он закрыл рот Евы рукой и прошептал, не спуская глаз с сестры: — Слушайте меня, идите в зал и приведите отца, или Рива, или Алекса. Всех троих, если возможно. Ничего не говорите, просто идите.

Еве не надо было повторять дважды. Она тоже увидела пистолет. Беннет убрал руку. Она сняла туфли и, оставшись босиком, прокралась бесшумно вдоль темной стены до открытых балконных дверей.

— Если мне придется вас убить прямо здесь, это будет неприятно.

— Но я хочу знать почему. — Бри прислонилась к стене. Она пока не знала, как сбежать от Джанет. Но ведь раньше ей удалось это сделать.

— Дебок мой любовник. Я хочу его освободить. А на вас ваш отец обменяет самого дьявола. — Джанет криво усмехнулась.

— Но как вам удалось проникнуть на такое место, обойдя проверку? Ведь штат проходит самый тщательный отбор. — Бри замолчала, потому что ответ был ясен. — Любэ. Конечно же это он.

На этот раз Джанет широко улыбнулась:

— Дебок знал о Любэ кое-что такое, чего не знал никто во дворце. О взятках и подкупах. Его легко можно было шантажировать и заставить выполнять желаемое. Главное, что Любэ ненавидел Арманда и охотно взялся ему отомстить.

— Отомстить? Но за что?

— Та автомобильная авария. Вижу, вы вспомнили. Ваш отец был за рулем. Он был молод и беспечен. Он и его дружок, дипломат, получили небольшие травмы, в то время как Любэ...

— Он до сих пор хромает, — пробормотала Бри, все поняв.

— О, это еще не все. Любэ не может иметь детей, даже с такой молодой женой. Он боится, что та узнает о его секрете и покинет его. Доктора уверяют, что эта проблема не связана с тем давним случаем, но он предпочитает думать по-другому.

— И он помог организовать мое похищение, чтобы наказать моего отца? Какое безумие.

— Ненависть способна на все. Я же ни к кому не испытываю ненависти. Просто хочу, чтобы мой любимый человек вышел на свободу. Я вполне вменяема, ваше высочество. И спущу курок только в случае необходимости.

— Но если вы меня убьете, ваш любовник так и останется в тюрьме. — Бри сделала попытку обыграть Джанет. — Мертвая, я не принесу вам никакой пользы.

— Вы правы. А вам известно, как мучительна рана, если она даже не затронет жизненно важные органы? Вы пойдете со мной.

— Нет!

Пытаясь защитить сестру, не отдавая отчета, какому подвергается риску, Беннет выскочил из темноты. Пользуясь мгновенным замешательством Джанет, он попытался вырвать у нее пистолет. Ему это почти удалось, но она успела нажать на спусковой крючок. Принц свалился как подкошенный на пол террасы. Даже не вскрикнув.

— О господи, Беннет! — Бри упала на колени перед ним. — Нет, нет, Беннет. — Она подняла его голову, и кровь потекла по белоснежному шелку платья. Бри пыталась нащупать пульс. Взглянула на Джанет с ненавистью. — Ну же, чего ты ждешь? — крикнула она в отчаянии. — Давай стреляй, ты не можешь причинить мне большей боли, чем сейчас. Я хочу увидеть тебя и твоего любовника в аду за ваши злодеяния.

— Ты скоро это увидишь, — раздался спокойный голос, и вспыхнул свет.

Перед Джанет стоял Рив в окружении вооруженных людей. Секретарша смотрела, как Арманд подходит к детям, на направленное на нее оружие, и протянула свой пистолет рукояткой вперед,

— Не надо трагедий, — холодно сказала она и добавила, когда Рив подошел, чтобы забрать его:
— Я практичная женщина.

— О, папа. — Бри обняла отца, стоявшего рядом с ней на коленях перед Беннетом. — Беннет пытался отнять у нее пистолет. — Она прижалась губами к волосам брата. — Надо доктора...

— Я уже здесь. Все будет хорошо, Габриела, — мягко произнес за ее спиной доктор Франко. — Отпусти мальчика, дай мне осмотреть его.

— Я его не оставлю. Я...

— Только не спорь, — вдруг раздался слабый голос Беннета, — у меня раскалывается голова.

Арманд дрожащей рукой обнял дочь за плечи. Она увидела, как у Беннета затрепетали ресницы, он открыл глаза.

— Бри, — брат слабо сжал ее руку, — в больнице есть хорошенькие сестрички?

— Их там целая дюжина.

Беннет вздохнул и закрыл глаза:

— Слава богу.

Александр помог Бри встать, и она очутилась в объятиях Рива. Наконец она была дома.

Эпилог

Рив сдержал слово, и последний день они провели на море. Ранним утром яхта «Либерте» скользила по гладкой поверхности воды, подгоняемая легким ветерком. Наступил последний день придуманной им сказки.

Он до сих пор не мог успокоиться, вспоминая последние события, ведь трагедия могла произойти, несмотря на принятые меры предосторожности. Хотя к тому времени, когда Ева ворвалась за помощью в бальную залу, Любэ уже задержали. Но Бри оказалась одна с любовницей Дебока.

— Не могу поверить, что все кончено, — услышал он и согласился с Бри, хотя в этот момент они думали о разных вещах.

— Любэ! До сих пор не могу поверить... — повторила она и покачала головой, вспомнив моло-денькую жену министра. — Навязчивое желание мстить — это болезнь. Что касается Джанет, ее цель освободить любовника тоже вылилась в одержи-мость.

— Они были преступниками и убийцами, ведь только по счастливой случайности охранник и Беннет остались живы.

— Знаю. — Прошло три дня после того случая, и она день и ночь благодарила судьбу. — Я тоже убила.

— Бри, послушай...

— Ничего, я уже могу теперь смотреть в лицо правде. И принять ее. Я знаю, что пряталась от этой правды, отказываясь вспоминать те несколько ужасных дней и ночей в темной комнате взаперти.

— Ты не пряталась, — поправил ее Рив, — тебе просто было нужно время.

— Ты говоришь, как мои доктора. — Бри направила яхту к маленькой бухте, где они стояли в прошлый раз. — Но некоторые мои воспоминания так и остались спрятанными в глубинах памяти. Они все еще скрыты. Кстати, знаешь, что Джанет уверила меня, будто кофе в термос налила няня и она же его приготовила. Я тебе не стала об этом говорить, потому что не поверила Джанет. Хотя играла она очень убедительно, зная, что я ничего не помню.

— Джанет не понимала, что ты так сильно привязана к няне, что инстинкт тебя не подведет.

— Она рассказала подробно, как няня принесла термос в кабинет в день похищения и как поворчала на меня по своей привычке. Потом Джанет якобы сразу проводила меня прямо к машине. Поэтому ни у кого не было шанса подсыпать туда снотворное. Но о чем она умолчала, а я не могла этого вспомнить до второй попытки похищения — что она взяла у меня из рук термос и дала мне подписать целую пачку документов. В этот момент у нее было достаточно времени, чтобы это сделать.

— Но она не могла и подумать, что старая няня пошла прямо к Арманду со своими подозрениями, что именно Любэ и его кузен Генри похитили тебя на маленькой ферме.

— Благословенная няня. Она охраняла меня, а я думала, что она не отходит от меня, потому что излишне опекает.

— Твой отец установил за тобой наблюдение. Тебя очень хорошо охраняли. Он не мог рисковать.

— План Любэ мог сработать, если бы не напился Генри, а я не выплескивала их суп на пол. Если бы я полностью принимала дозу, которую они мне подсыпали, я не смогла бы справиться с Генри и не оторвала бы доски, которыми были забиты окна. — Бри взглянула на свои руки. Ногти, которыми она отдирала доски, теперь были снова в идеальном состоянии. — Все, с этим покончено. Ко мне вернулась моя жизнь.

— И ты счастлива, что прошлое вернулось. Это главное.

Бри улыбнулась:

— Да, я счастлива. Ты знаешь, что Кристина и Ева задержались на несколько дней?

— Знаю, что твой отец готов поставить статую в честь Евы.

— Мы многим ей обязаны. И я рада видеть, как она купается в лучах славы.

— Девочка была белая как бумага, но взяла себя в руки, в двух словах изложила суть дела и провела нас к тебе.

— Я так и не поблагодарила тебя за все. — Они приплыли в бухту, и Бри убрала парус.

— Ты не обязана меня благодарить.

— Но ты так много сделал и для меня, и для семьи. Мы никогда этого не забудем.

— Я же сказал, не стоит, — резко оборвал ее Рив, поднялся и подошел к поручням.

— Рив, — Бри встала рядом, — послушай, — в ее голосе была неуверенность, — я понимаю, что ты не гражданин Кордины и не обязан подчиняться нашим правилам и обычаям, но у меня к тебе просьба. Мой день рождения через две недели, и все мои желания должны быть исполнены, тем более что я принцесса.

— Просьба? — Он вытащил сигареты и закурил. — Какая же?

Она очень любила его таким — немного раздосадованным и скрывающим обиду под напускным безразличием. Это даже облегчало ей задачу.

— Ведь наша помолвка наделала много шуму, ты согласен?

Он коротко засмеялся:

— Вполне.

— Я должна признаться, что в восхищении от бриллианта, который ты мне подарил.

— Оставь кольцо себе, — небрежно сказал он, — прими как подарок.

Она взглянула на кольцо, потом на другую руку, где носила сапфиры. *Любовь и верность.* Улыбнулась в ответ на его недоверчивый взгляд.

— Ты знаешь, что у меня большие связи. Тебя будут ждать огромные трудности с оформлением визы, паспортом, даже с заказом рейса в Америку.

Рив выбросил сигарету в море и посмотрел на нее:

— Куда ты клонишь?

— Я думаю, насколько все было бы проще, если бы ты на мне женился. И знай, я собираюсь настоять на своем. — Бри говорила спокойно, приняв снова величественный вид, который говорил, что перед ним принцесса.

Он заглянул в глубину медовых глаз, пытаясь прочитать там истину.

— Ты мне угрожаешь?

— Но мы можем с тобой прийти к взаимному согласию. Так, чтобы было удобно и мне, и тебе. Компромисс.

— Я не ищу выгоды.

— Ерунда, — она небрежно отмахнулась, — мы можем проводить полгода в Кордине и полгода в Америке. Я уверена, что в любом браке возможны компромиссы. Ты согласен?

Переговоры, сделки, компромиссы. Он сыт этим по горло.

— Посмотрим.

Она нервно сглотнула, не в силах слышать спокойный назидательный тон.

— У меня много обязанностей во дворце, но, когда Александр женится, его жена сможет мне помогать. А пока надо воспринимать эти обязанности как необходимую работу.

С него хватит планов, переговоров. Он хочет ясности.

— А можно упростить? — спросил Рив решительно.

— Что ты имеешь в виду?

— Скажи просто, чего ты добиваешься.

— Я хочу тебя! — Бри гордо подняла голову. — Потому что люблю тебя и любила с того дня рождения, когда мне исполнилось шестнадцать и когда ты поцеловал меня на террасе при лунном свете.

Он хотел погладить ее по щеке, но сдержался. Нет. Пока нет.

— Но тебе не шестнадцать, и это не сказка, а жизнь.

— Ты прав.

Понимала ли она, как важно то, что она сказала и что он хотел услышать?

— В Америке тебя не ждет дворец.

— Но есть дом с большой верандой. И не заставляй меня умолять. Если ты не хочешь меня, скажи прямо! — Теперь говорила реальная оскорбленная женщина, а не принцесса. И это было то, чего он ждал.

— Когда тебе было шестнадцать и мы вальсировали на террасе, это было похоже на сон. Я никогда не забывал его, но, когда вернулся сюда и поцеловал тебя снова, это была уже реальность. Я понял, что мне не нужен никто, кроме тебя.

— И я никогда никого не хотела, только тебя.

— Выходи за меня, Бри. Если станешь сидеть со мной на веранде, я примирюсь с *ее высочеством принцессой Габриелой.*

Она взяла его руки и поднесла к губам.

— Хотя жизнь — это не сказка, но бывает в ней и такое: «И они потом жили долго и счастливо».

Литературно-художественное издание

Для возрастной категории 16+

Робертс Нора
КОРОЛЕВСКИЙ РОМАН

Роман

Ответственный редактор *Л.И. Глебовская*
Художественный редактор *Е.Ю. Шурлапова*
Технический редактор *Н.В. Травкина*
Корректоры *А.В. Максименко, О.Б. Бубликова*

Подписано в печать 19.07.2013.
Формат 82×100¹/₃₂. Бумага типографская. Гарнитура «Ньютон».
Печать офсетная. Усл. печ. л. 12,16. Уч.-изд. л. 10,65.
Тираж 5 000 экз. Заказ № 6060

ЗАО «Издательство Центрполиграф»
111024, Москва, 1-я ул. Энтузиастов, 15
E-MAIL: CNPOL@CNPOL.RU

WWW.CENTRPOLIGRAF.RU

Отпечатано в ОАО «Первая Образцовая типография»,
филиал «УЛЬЯНОВСКИЙ ДОМ ПЕЧАТИ». 432980, г. Ульяновск, ул. Гончарова, 14

Harlequin® Russia

Автор бестселлеров #1 New York Times

Нора Робертс

СОКРОВИЩА УТРАЧЕННЫЕ, СОКРОВИЩА ОБРЕТЕННЫЕ

Кэтлин всегда поступала так, как хотел ее отец, который один воспитывал дочь. Четыре года назад они провели лето на острове Окракоук. Мистер Хардзти искал остатки английского торгового корабля, потерпевшего крушение около его берегов в XVIII веке. Чтобы помочь отцу, Кэт училась подводному плаванию. Ее инструктором был симпатичный местный молодой человек Кай Сильвер, который пробудил в девушке незнакомые ей ранее чувства. Но, видя, что Кай не нравится ее отцу, Кэт разорвала все отношения и поклялась никогда не возвращаться на Окракоук. Смерть отца изменила ее решение — она хотела завершить его исследовательскую работу, для чего ей необходима была помощь Кая...

www.harlequin.cnpol.ru

Harlequin® Russia
Автор бестселлеров #1 New York Times

Нора Робертс
НАЗВАНИЕ ИГРЫ

Джоанна Патерсон наделена ангельской внешностью и стальным характером. Она уже вполне успешный продюсер, но не собирается останавливаться на достигнутом. Вся ее жизнь расписана по минутам и подчинена одной цели: добиться успеха и полной независимости в шоу-бизнесе. Джоанна всегда работала на износ, словно хотела доказать себе, своему равнодушному отцу и, быть может, целому миру, что она все сможет сама. В ее жизни не было места нежности, доверию, пока она не встретила Сэма Уивера. Красивый, умный, талантливый мужчина поколебал ее уверенность в том, что надеяться можно только на себя...

www.harlequin.cnpol.ru

**«Издательство Центрполиграф» —
эксклюзивный партнер крупнейшего в мире
издателя современной романтической прозы
Harlequin Enterprises Limited —
представляет беспрецедентный проект**

Harlequin® Russia

• Романы всемирно известных авторов, большинство из которых ранее не издавались на русском языке
• Произведения, получившие множество наград и номинаций
• Проза, переведенная на десятки иностранных языков
• Книги, выпущенные миллионными тиражами по всему миру
• Издания с изысканным дизайнерским оформлением

В рамках проекта Harlequin® Russia выходят увлекательные серии:

**Серия «Мировые хиты Harlequin® Russia»
Серия «Мировые бестселлеры Норы Робертс»
Серия «Исторический роман»
Серия «Любовный роман»**

По жанрам произведения варьируются от сентиментальных и исторических романов о любви до остросюжетных детективов и леденящих душу триллеров.
Все серии отличаются реалистичным художественным повествованием и тонким изображением внутреннего мира героев.

**Более 10 новинок каждый месяц!
Более 200 изданных романов в год!
Миллионы благодарных читательниц во всем мире!**

Книги Harlequin® Russia найдут отклик в душе любой женщины, вне зависимости от возраста, характера и темперамента.

www.harlequin.cnpol.ru

Harlequin® Russia

Серия «Мировые хиты Harlequin® Russia»

Если триллер — то такой, чтобы мурашки по коже. Если роман о любви — то такой, чтобы по телу сладостная истома. Бесспорные литературные шедевры, написанные культовыми авторами за рубежом: Тесс Герритсен, Сандрой Браун, Дебби Макомбер, Сьюзен Виггс и Брендой Джойс. Все романы, выходившие в серии «Лучшее из лучшего», становились бестселлерами и удостаивались международных литературных премий.

Серия «Мировые бестселлеры Норы Робертс»

Романы от гуру современной женской прозы и самой популярной писательницы Америки. Ее книги неизменно становятся хитами продаж не только за рубежом, но и в России. В новой серии Норы Робертс представлены романы с тонким повествованием и завораживающим финалом наравне с интригующими историями о любви и мистике.

Серия «Исторический роман»

Действие в романах серии разворачивается на фоне различных исторических событий: то в конце XIX века, то в эпоху Французской революции, а то и во времена Войны Алой и Белой розы. Ярко выписанные «декорации» придают повествованию, несмотря на напряженность интриги, некоторую неспешность, свойственную добротному историческому роману.

Серия «Любовный роман»

В изящных, лаконичных белых книжечках — истории о желанной, но все равно неожиданной, нежной, страстной и полной загадок настоящей любви. На пути влюбленных встречаются преграды, козни соперников, а часто и простое непонимание, но финал... финал всегда будет счастливым!

www.harlequin.cnpol.ru